JN120278

原発は日本を滅ぼす

青谷知己・小倉志郎・草野秀一
後藤政志・後藤康彦・山際正道

STOP!

緑風出版

はじめに

　福島第一原子力発電所の事故から、まもなく９年になります。

　しかし、原子炉建屋内のデブリの処理、増え続ける汚染水、除染により発生した大量の瓦礫_{がれき}の処理など、解決の方法さえ決まっていない難しい課題が山積しています。

　事故は未だに収束していません。また、被災され、不本意な生活を強いられている方々も大勢います。

　一方、事故の原因については現時点でも究明されていない点がたくさんあり、したがって本質的な意味での「事故対策」は不可能であるにもかかわらず、新しい規制基準が策定され、すでに９基の原発が再稼働しています。

　人々の事故の記憶は少しずつ薄れてきており、福島原発事故の実態は日を追う毎に見えにくくなってきているように感じます。

　このような時代状況にあって、福島原発事故を二度と起こさないためには何をすべきなのでしょうか。

　原発事故や放射性物質の処分、放射線被ばくの問題は、その影響の大きさと範囲を考えた時に、当然世界的な問題であり、もちろん日本の問題であり、そしてそれは一人ひとりの問題でもあります。

　この本では、福島原発事故とはどのような事故だったのか、

原発とはどのようなものなのか、放射能汚染とは何なのか、などをできる限りコンパクトにまとめてみました。特に若い世代の皆さんに、改めて考えていただくきっかけになればと願っています。

　本書は、どの章から読み始めても大丈夫なように編まれています。章によっては、原子炉の機器や放射能にかかわる単位など、聞きなれない言葉が出てくるかと思いますが、読みにくい場合には飛ばしてください。後から説明が出てきて、あらためてその部分にもどってくることも可能です。

　執筆陣の力量のなさから、表現が難しくなってしまった部分もあるかもしれません。それぞれの分野についてできる限り正確な記述を心掛けたことをお汲み取りいただければ幸いです。

　今回、執筆に携わったのは、複数の原発メーカーの元技術者と、高等学校の現・元教員です。そのメンバーで『だんごの会』という研究会を作りました。

　この本の執筆をしている途中で、文部科学省が『放射線副読本』の再改定版を発行しました。放射線についてその有用性を過度に強調し、危険性については正確に伝えようとしない、きわめてアンバランスな本だと考えています。

　いくつかのポイントについて副読本批判のコラムを設け、同時に本書全体の記述でもこの点を意識しています。

　本書が、多少なりとも原子力発電と放射能について正しい知識をお伝えする一助となれば、執筆者一同望外の喜びです。

2020 年 1 月 15 日　　　　　　　　　　　　　後藤政志

第1章　福島原発事故はどのような事故か？

　2011年3月11日、東日本大震災により東京電力福島第一原子力発電所（以下福島第一原発）が事故を起こし、1号機、2号機、3号機は炉心溶融にいたりました。また、1号機、3号機、4号機では水素爆発が発生しています。

　しかし、津波以前に「地震」による影響がどこまであったかなど、事故の詳細は事故後9年近く経った現在でも明らかになっていません。原子炉周囲は放射線量が高く、いまだに人が入って事故調査ができないからです。特に事故の元凶である核燃料デブリの状況は、試行錯誤が続けられていますが分からないことだらけです。福島第一原発事故（以下福島原発事故）は今も継続している事故なのです。

　福島原発事故に先立つ2007年、世界最大規模の柏崎刈羽原発1号機から7号機が、新潟県中越沖地震で被災しました。この時には、基準地震動の最大4倍近い揺れが観測され、幸い炉心溶融はまぬがれたものの合計約3000ヵ所におよぶ破損・不具合を生じました。

図 1　福島第一原発　事故直後の敷地全体図

右端の鉄塔の右手前が 1 号機原子炉建屋、鉄塔の左側が 2 号機、その左に
3 号機、間に鉄塔を挟んで 4 号機原子炉建屋。1、3、4 号機は水素爆発で
原子炉建屋が破壊。手前の細長い建物がタービン建屋。

出典：国会事故調報告書 p.157、Air Photo Service Co.Ltd 撮影

　柏崎刈羽原発で実際に観測された「設計を大幅に超える地
震動」の危険性など、自然災害と原発特有の安全性を徹底的に
検証する努力を怠ったことが、福島原発事故の要因の一つです。

1　福島原発事故は「原発震災」だった

⑴　1・2・3号機は炉心溶融を起こした

　2011 年 3 月 11 日、福島第一原発は地震と津波に襲われ、全
電源喪失から原子炉の冷却機能が失われる事態となりました。
　本来なら、非常用電源により、複数系統ある緊急炉心冷却
系（ECCS）[1] が作動して原子炉を冷却するはずでしたが、非常用

1　原子炉の冷却水が喪失した時に作動し、炉心に冷却水を注入すること
　により核燃料を冷却し燃料棒の損壊を防止する安全装置。

図2 原子炉建屋とタービン建屋

沸騰水型（BWR）原子力発電プラントの断面図。原子炉建屋の中に、原子炉格納容器、原子炉圧力容器、使用済み核燃料プールがある。

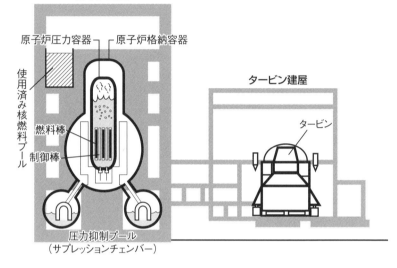

電源すら失われたため、ECCSの大半が機能しませんでした。

　照明の消えた中央操作室で、時々、しかも一部しか見えない計器類のデータを頼りに原子炉の冷却が試みられました。

　この時、電源がないためにバルブ操作なども人の手に頼るしかない状態になっており、職員が放射線量を気にしながら原子炉建屋内の当該場所まで行き、手探りに近い状況の中、身の危険を冒しつつ必死で事故の収束を試みる作業が行われました。

　しかし、結果として原子炉の冷却作業は失敗し、稼働中であった1、2、3号機すべてが炉心溶融を起こしました。また、

1、3、4 号機では相次いで水素爆発が起き、大量の放射能（放射性物質）が放出されてしまいました。

　このように、炉心溶融など設計基準を大幅に超す状態をシビアアクシデント（過酷事故）といい、事故収束が極めて困難になります。

　この時、原子炉ばかりでなく、原子炉建屋上部の使用済み核燃料プールにある大量の核燃料も、冷却困難な状況になっていました。

　特に 4 号機は、1535 本（原子炉 2 基分相当）もの核燃料が冷却困難な状況にあり、極めて深刻な状況になりました。まさに、かねてより警告されていた複合的な災害、「原発震災」[2] が起きてしまったのです。

(2)　最悪の場合には首都圏全域の避難もありえた

　地震・津波から 2 週間後の 3 月 25 日、菅直人首相の指示で、近藤駿介原子力委員会委員長が「最悪のシナリオ」を作成しています。そこでは、さらなる水素爆発や格納容器の破壊、使用済み核燃料プールの燃料溶融が起きた場合、原発から半径 170 キロ圏内が旧ソ連チェルノブイリ原発事故（1986 年）の強制移住地域の汚染レベル（土壌中の放射性セシウムが 1 平方メートルあたり 148 万ベクレル以上）になると試算されていました。

　また、福島原発から 250 キロの範囲は避難が必要な程度に

2　「原発震災」は地震による原発の放射能災害と震災とが複合・増殖し合う破局的災害のこと。石橋克彦（神戸大学教授・当時）が震災以前からその発生を警告していた。

図3　福島原発事故の放射能汚染地図

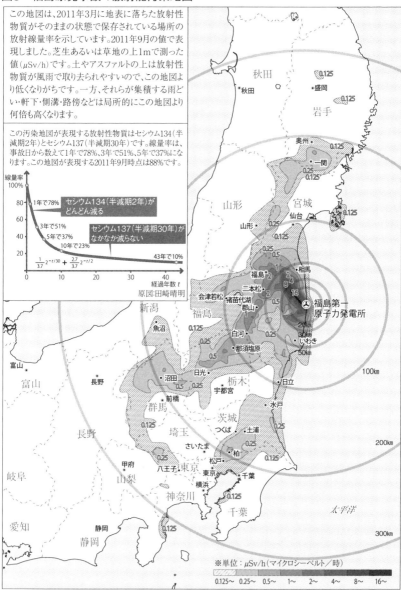

この地図は、2011年3月に地表に落ちた放射性物質がそのままの状態で保存されている場所の放射線量率を示しています。2011年9月の値で表現しました。芝生あるいは草地の上1mで測った値（μSv/h）です。土やアスファルトの上は放射性物質が風雨で取り去られやすいので、この地図より低くなりがちです。一方、それらが集積する雨どい・軒下・側溝・路傍などは局所的にこの地図より何倍も高くなります。

この汚染地図が表現する放射性物質はセシウム134（半減期2年）とセシウム137（半減期30年）です。線量率は、事故日から数えて1年で78%、3年で51%、5年で37%になります。この地図が表現する2011年9月時点は88%です。

線量率
- 1年で78% セシウム134（半減期2年）がどんどん減る
- 3年で51%
- 5年で37% セシウム137（半減期30年）がなかなか減らない
- 10年で23%
- 43年で10%

$$\frac{1}{3.7}\ 2^{-t/30} + \frac{2.7}{3.7}\ 2^{-t/2}$$

経過年数 t
原図：田崎晴明

※単位：μSv/h（マイクロシーベルト／時）

0.125〜　0.25〜　0.5〜　1〜　2〜　4〜　8〜　16〜

群馬大学　早川由紀夫著　福島第一原発事故の放射能汚染地図八訂版2013年2月1日より作成

汚染されると推定されたのです。ここには、東京都のほぼ全域、横浜市までもが含まれます。

　菅首相は引退後のインタビューでも「最悪の場合、避難対象は首都圏を含め 3000 万人。国として機能しなくなるかもしれないと思った」と証言しています。

　「半径 170 キロ圏内の強制移住」「3000 万人の避難」など言葉では言ってみるものの、現実問題としてできることでしょうか。少しリアルに考えてみれば、どうやっても不可能であることはすぐわかります。

⑶　福島原発事故は、原発の危険性を浮き彫りにした

　福島原発事故は、さらに深刻な事態に進んだ可能性があります。この現実を前に、あらためて日本の原発の在り方を根本的に考え直す必要があるでしょう。

　福島原発事故は、一カ所に複数の原子炉が立地し、原子炉建屋の最上階に大量の使用済み核燃料プールを抱える原発の構造上の弱点を改めて浮き彫りにしました。

　また、防災指針についても再度根本から考え直す必要があります。現在の原発防災基準では、原発から 30 キロ圏内を事故時に迅速な避難や屋内退避などを求める「緊急防護措置区域（UPZ）」としています。しかし福島事故の放射能の拡散状況を前提に「最悪シナリオ」を考えれば、「30 キロ」がまったく不十分であることも明らかです。

　中越沖地震の反省を十分に踏まえなかったことが、今回の福島の事故につながっています。今回こそ事故の教訓をきちん

と踏まえなくてはいけません。

2　東日本大震災の時に福島原発で起きたこと

(1)　送電線が壊れ外部電源が失われた

　3月11日、東日本を襲ったマグネチュード9.0の大地震により、福島第一原発では電力を受け取る送電線や変電所が破壊され、外部電源が失われました。原発は電力を作り出す一方で、事故などの際は外部から送電線で電気を受け取り、この電気によりモーターを動かし、ポンプで水を送って炉心を冷却しています。このため、外部電源が失われると炉心や使用済み核燃料プールを冷やすことができなくなり、きわめて危険な状態になります。

　一方で、命綱の送電線は地震に弱く、送電線を複数配置した場合でも、広域地震の場合、同時に壊れることがあり得ます。

　福島事故後も、原発の外部電源の脆弱性は基本的に変わっていません。外部電源の抜本的改良はできないのです。

(2)　原子炉は停止したが膨大な熱は出続ける

　地震を感知した直後、制御棒が自動的に挿入されて核反応は停止しました。しかし、原子炉は停止直後でも定格出力の約7％程度の崩壊熱を出しており、時間と共に減少するものの1時間後で約1.5％、1カ月後でも約0.1～0.2％程度の熱を出し続けます。元の出力が膨大ですから、1％と言ってもその熱量はきわめて大きなものです。したがって、大量の水を原子炉に

送り続けなければ炉心が溶けてしまいます。

　この膨大な崩壊熱が長時間にわたって原子炉を冷却せざるを得ない原因であり、原発の危険性を決定的なものにしているのです。

(3)　非常用発電機も津波で停止し全電源が失われた

　外部電源を喪失した後、直ちに非常用のディーゼル発電機が自動的に起動し電源を確保しました。この電源が確保されていれば、ポンプを動かし、炉心の冷却を継続することが可能です。

　しかし、地震の後に来た津波により、非常用ディーゼル発電機や配電盤等は浸水し、停止してしまいました。

　この結果、福島第一原発は号機ごとに時間のずれはあるものの、交流と直流の両方の全電源を喪失しました。交流電源はモーター等を動かす動力を担っており、直流電源はさまざまな計測および制御を担っています。

(4)　緊急炉心冷却装置が機能喪失し炉心圧力が上昇した

　全電源喪失により、事故が発生した時に原子炉を冷却する緊急炉心冷却装置（ECCS）が機能を失い、万が一の事態に対処しようとした代替の冷却系統も手探りの状態が続きました。

　さらに、炉心を冷却できなかったことにより、この熱で原子炉の外側を覆っている格納容器内部の圧力が上昇しました。格納容器内の圧力が限度を超えると破壊される危険性が生じます。これを避けるには、格納容器から意図的に蒸気を放出する

必要が生じますが（いわゆる格納容器ベント）、この作業も難航
しました。

(5) 1号機は蒸気で駆動する冷却にも失敗した

　ポンプ駆動用の電源を失った状態でも、1号機では原子炉の
蒸気で8時間程度冷却できる非常用復水器（IC：隔離時復水器）[3]
がとりあえず起動しました。

　このICには、蒸気の流れを制御するバルブ（弁）が直列に
4つついており、通常はそのうち1つだけが閉じられ、残り3
つは開放された状態で運転されています。この状態では閉じた
バルブにさえぎられて、蒸気は流れません。（図4参照）

　逆に言えば、もしICを起動する際には、このひとつのバル
ブを開放するだけで、原子炉の蒸気が自動的に循環し原子炉を
冷却できることになるわけです。

　ところがその一方で、これら4つのバルブは、バルブ操作
用の電源が失われたり故障が起きたりした時には、自動的に閉
じるように設計されていました。これは、放射能を外に出さな
い隔離機能（弁を閉じる）を優先したことによります。

　現実に、事故時にはICを稼働させる時に操作するひとつの
バルブ以外は開いているべきであったのに、閉じた状態になっ
ていたようです。したがって、この時点でICの冷却機能は失
われており、4つのバルブすべてを開放する必要が生じていた

3　原子炉の蒸気が配管を通して復水器のプールの水中に導かれ、そこで
　　冷却・凝縮されて水に戻り、重力で原子炉に戻る。自然循環により原
　　子炉の冷却が継続されることから電力を必要としない。

図4　非常用復水器（IC）の仕組み

A系統（図の左半分）は、3Aのバルブを開くと原子炉の蒸気が1A⇒2A⇒非常用復水器Aで冷やされて水にもどり⇒3A⇒4Aを通って自然循環で原子炉が冷却される。B系統も同様。

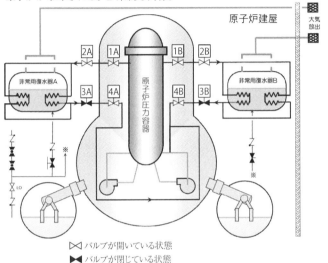

⋈ バルブが開いている状態
▶◀ バルブが閉じている状態

出典：政府事故調中間報告書より

のですが、電源がなく操作できませんでした。さらには、計器用の電源も喪失していたために、バルブの開閉状態すらよく分からない状況に陥っていました。

　結果的に炉心に水は短時間しか還流せず、ICによる冷却は失敗したのです。

　原子力の難しさは、この隔離弁の矛盾したあり方によく表れています。原子炉を冷却するためには、バルブを開いて冷却水を流す必要がありますが、他方で放射能を閉じ込める為には

バルブを閉じて格納容器を隔離（外部と遮断する）する必要があるのです。

　また、IC については、水素ガスが発生すると蒸気が循環せず機能しなくなるという問題も指摘されています。

⑹　1 号機は地震で炉心の密閉がやぶれた可能性がある

　このように、1 号機では IC が正常に機能しませんでした。にもかかわらず、原子炉を減圧する逃がし安全弁（SR 弁）[4] が作動した形跡がありません。このことは炉内の圧力が一定以上に上がらなかったことを意味しており、またその原因が何であるかを示唆しています。

　地震で IC 系配管などに亀裂が入り、一次系の密閉が阻害され、これによりガス等が漏えいしたのではないか、それにより漏れた水素ガスが原子炉建屋 4 階で爆発を起こしたのではないかという疑いが生じるのです。

　また、他の可能性として SR 弁が熱で損傷したのではないかとも指摘されていますが、現時点でこの部分の経過ははっきりしていません。

⑺　電源がなくとも冷却可能な装置が次々と停止

　原子力発電所の緊急炉心冷却装置（ECCS）は、高圧系（高

4　「1 号機で事故の初期に、逃がし安全弁が機能しなかった可能性がある」（国会事故調）。また、他の号機で、原子炉を冷却しようと逃がし安全弁を開放しようとしたが、格納容器の圧力が高くなり弁を閉じる方向に背圧として働いたため、操作ができなかった可能性が指摘されている。

圧注水系等）と低圧系（低圧スプレイ系や低圧注水系）があります。小さな配管が切れて原子炉の水が徐々に漏れて出るような事故では、原子炉の圧力が高い状態で水を注入する必要があります。その時に使うのが高圧系です。

　大きな配管が破断する事故が起こり、原子炉の圧力が下がった低圧の状態で大量の水を原子炉に送る装置が低圧系です。高圧系と低圧系はそれぞれ多数のポンプを備えています。

　津波後3号機、2号機では、初めは高圧のまま蒸気で駆動する隔離時冷却系ポンプや高圧冷却系が作動し、何とか冷却ができていました。しかし、蒸気の減少等により圧力が落ち、やがてこれも停止してしまいました。

　また、2号機は、1号機同様、電源喪失の影響で計器類も不全に陥っており、原子炉や原子炉格納容器の状態が把握できない状態が続きました。3号機は、一部直流電源が生きていました。

　結果的に、少なくとも事故後2、3日の間には、運転中であった3機すべての原子炉が炉心溶融を起こし、融けた核燃料と周囲の金属が溶融デブリ[5]となって溶け落ち、原子炉の厚さ10数センチの鋼板を破って原子炉格納容器の床に落下しました。

3　何が炉心溶融をもたらしたか

(1)　炉心の圧力を下げることができなかった

　すでに述べた通り、地震によって原子炉が停止した後、1号

5　溶融した核燃料や原子炉構造物、制御棒などが冷えて固まった堆積物。

機は IC が、2、3 号はタービンを切り離した状態で原子炉の蒸気を使って冷却する隔離時冷却系ポンプが作動しました。

　しかし、津波の襲来ののち、1 号機の IC は前項で説明した経過をたどり、冷却に失敗しました。また、3、2 号機も前項のような経過で、蒸気圧が低下するにつれて高圧系のポンプが止まり、冷却ができない状態になりました。

　そのような場合、低圧系で注水するためには、さらに原子炉の圧力を下げる必要が生じます。

　そこで、原子炉逃がし安全弁を人為的に作動させて原子炉の圧力を下げようとしましたがこれも想定通りには進まず、なかなか下げることができませんでした。

　その後、必要なバッテリーを調達して 3 号機については逃し安全弁を作動させ、何とか原子炉の圧力を下げることに成功しましたが、ここまでにかなりの時間を要していました。2 号機は安全弁の操作ができず、原子炉が高圧のまま蒸気が漏れました。

　なお、1 号機については逃し安全弁が作動した形跡がなく、にもかかわらず圧力が上昇しなかったことは先に述べた通りです。

　(2)　水は炉心に届いていなかった

　炉心の圧力低下後も、電源がないことから低圧系 ECCS は機能しませんでした。炉心が冷却されず高温になると、水を入れても直ぐに蒸発してしまうため、冷却は増々困難になっていきます。

　このような状況下、一刻も早く炉心を冷却するため、外部から人海戦術でホースを繋ぎ込んで低圧系（消火系）の系統へ冷却水を入れることが試みられました。しかし、ホースの接続が合わない、消防車の燃料が切れるなど想定外の事態が続き、ここでも思うように作業は進みませんでした。過酷事故時は正規のECCSが作動せず、基本的に人の操作に頼ることになりますが、福島事故を見るとそうした「過酷事故」対策は失敗する可能性が高いのです。

　その後、現場の努力により、原子炉にやっと水を入れることができたと思われましたが、結果的には複雑な配管と停止中のポンプの軸封部等の漏えいにより、原子炉には想定した量の数分の一以下の水しか入っていませんでした。

　なお、この事実がわかったのは、事故から何カ月も後のことです。

　結局、2、3号機でも炉心は空焚きになり、炉心溶融してしまったのです。

(3)　原子炉の水位計は欠陥品だった

　さらに重要なこととして、原子炉の水位計[6]が高温になると機能不全に陥り、正しい水位を示していなかったことが分かっています。原子炉に水が入っていないのに、計器上は十分入っているように見えていたのです。この水位計については、そもそもそのような過酷な条件下での使用が想定されていませんで

6　BWR型原発の水位計では、原子炉水位計の水位が極端に低下すると、高温で基準面器内の水が蒸発して、正確な水位を示さなくなる。

した。

　福島原発事故では、水位計が機能しなかったのみならず「誤った表示」をしていたこと、そしてそれが分からず、事故の対応を誤ったことが極めて重要なポイントになります（図5参照）。

　実は、この欠陥水位計は、沸騰水型（BWR型）原発[7]に共通のもので、事故後も全く改良すら行われずに使い続けられています。周囲に温度計を設置し、「温度が一定以上になると、水位計が正しい値を示さない」との注意書きを添えるという小手先だけの対策を行い、これをもって再稼働しようとしているのです。

　航空機の高度計の高度表示に大きな誤差が発生することが分かった場合、高度計を改良せずに、注意書きをしただけで航空機を運航することは到底あり得ません。

4　放射能を閉じ込められなかった原子炉格納容器

(1)　役立たなかった格納容器の圧力抑制プール

　原子炉が冷却できなくなると、高圧の蒸気が圧力容器から格納容器内に漏れ出し、格納容器の圧力と温度が上昇します。

　原子炉格納容器というのは、事故時に放射能を閉じ込める直径20～30m（BWRの場合）の鋼鉄製あるいは鉄筋コンクリート製の容器です。格納容器の中には、炉心（圧力容器）やポ

7　原子炉からの沸騰した冷却水により直接タービンを回し発電する。格納容器は小型であるが、タービン建屋の中も放射能汚染しやすい。東電、東北電力、中部電力、北陸電力、中国電力等の原発で使用。

図5　原子炉水位計のしくみ

原子炉の水位は、原子炉水位と基準面器の水位の圧力差を差圧計で測っている。格納容器内の温度が上がり、基準面器内の水が蒸発し基準面器の水位が下がると、見かけ上原子炉水位は高く表示される。

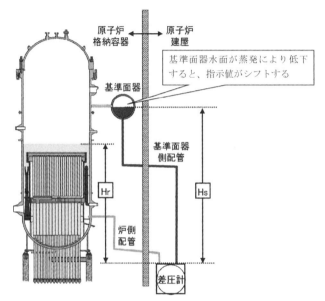

出典：2013年12月13日　東京電力検討会資料に加筆

ンプ等の機器と配管などが収められており、福島第一原発のようなBWR型では、その下部に圧力抑制プール（図6参照）という大きなドーナッツ型の水を入れたタンクを備えています。

　このプールは、蓄えた水の中に事故で発生した蒸気を放出することで、蒸気が凝縮（蒸気が水に変わり体積が数百分の1になる）され、圧力上昇を抑える機能を持っています。

しかし、大量の水素が発生したり、水温が上がり過ぎたりすると、この圧力抑制プールの蒸気を凝縮して圧力を下げる機能が失われ、格納容器の圧力が上がります。

　今回の事故では格納容器の圧力が設計圧力４気圧の２倍近くまで上昇しました。これは、原子炉の冷却が長時間続き大量の水素ガス等が発生したことに加え、上記のような要因で圧力抑制プールが十分には機能しなかった可能性を示しています。なお、設計圧力の倍というのは、格納容器が破壊されかねないレベルの圧力です。

⑵　実際の格納容器ベントは難航した

　格納容器の破壊を避けるためには、設計圧力の２倍に達する前に格納容器からガス抜きをすることとされています。このガス抜きのことを格納容器ベント（以下ベント）といいますが、通常の配管とは別の、圧力に対して強化された太い配管を使って行われます。

　ベントを行うために、２つのバルブとラプチャーディスク（圧力が一定値を超えると自動的に開く金属製の破裂板）が設けられていましたが、電源がなく暗い上に放射線量が高くなっていたために、実際の作業は難航しました（図７参照）。

　１号機は、ベント作業の指示をしてから実際にベントができるまでに８時間もかかりました。原発事故は非常に短時間で事態が進展するために、時間単位の遅れは致命的です。

　ベントができない間に、高温になった格納容器のハッチ類（機器類を運び出す格納容器に設置されたボルト締めの蓋）や電気配

図6　福島第一原発のマークⅠ型格納容器の断面

格納容器はドライウェルと、下部の圧力抑制プール（ウェットウェル）があり、それらをベント管で繋いでいる。

格納容器ベントは、ウェットウェルとドライウェルから、耐圧ベントにより蒸気を外部に出す仕組み。

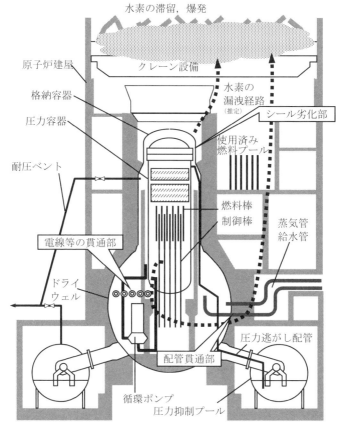

出典：『脱原発の市民戦略』（上岡直見／岡將男著、緑風出版）

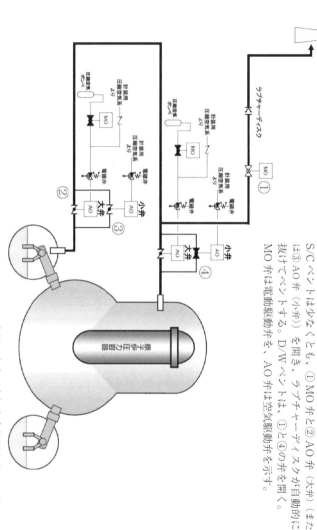

図7 格納容器ベントライン（2号機の例）

格納容器からベントするS/Cベント（ウェットウェル）とそれ
が使用できない時に使うD/Wベント（ドライウェル）がある。
S/Cベントは少なくとも、①MO弁と②AO弁（大弁）（また
は③AO弁（小弁））を開き、ラプチャーディスクが自動的に
抜けてベントする。D/Wベントは、①と④の弁を開く。
MO弁は電動駆動弁を、AO弁は空気駆動弁を示す。

出展：東京電力福島事故報告書 2011 年 6 月

28

線（多くのケーブルが格納容器を貫通している）の貫通部の有機シール材から格納容器内に溜まった水素と放射能が相当量漏えいしたと考えられます。シール材は樹脂材料やゴムで作られており、熱には弱いのです。

　基本的には密閉されていることになっていますが、格納容器には、およそ200本程度の貫通部があります。

　一方、おそらくは内部のガスが漏れたために圧力が下がり、格納容器の破壊を免れたことは、放射能の放出を限定的にしたとも言えます。もし格納容器が破壊していたら、福島事故の放射能の放出量は桁違いに増加し、10倍あるいは100倍にもなった可能性が高いのです。

(3)　格納容器ベントは対症療法

　格納容器ベントは、意図的に格納容器内部のガスを外部に排出する操作です。必然的に格納容器内の放射能は環境中に放出されることになります。本来、格納容器は放射能を閉じ込めるためのものです。格納容器からのベントと言うのはそれを断念するということであり、原発の安全設計上本来あってはならないことなのです。

　圧力が上がって格納容器が破壊された場合のより甚大な放射能被害を避けるため格納容器ベントするのですが、格納容器が原子力発電所の安全の最後の砦あることを考えると、格納容器ベントは対症療法に過ぎず、抜本的な対策ではありません。格納容器ベントした時点で格納容器の使命が終わっているのです。

(4) 立て続けに3機が水素爆発

ウラン燃料を覆うジルコニウムという金属製の被覆管が高温になると水(水蒸気)と反応し、水素ガスが生じます。この水素ガスによる火災・爆発を防ぐため、BWR型の原子炉は、運転中は格納容器内に窒素ガスを入れて酸素がない状態にしています。水素が発生しても酸素がなければ燃焼しないからです。

今回、福島事故では3機で水素爆発が発生しました。これは、格納容器から漏れた水素が、原子炉建屋の空気中(酸素がある)で爆発したものと考えられています(図6の水素爆発参照)。

なお、水素爆発は、1号機、3号機、4号機で起こりました。2号機が爆発を免れたのは、建屋の壁についているブローアウトパネルという大きな蓋が1号機の水素爆発で開き、水素が建屋外に排出されたためと見られています。

原子炉建屋の爆発は、放射能を遠くまで拡散させました。しかし、それでも水素爆発で格納容器が壊れなかったことは不幸中の幸いです。格納容器が破壊されていれば最悪の事態が想定されます。

なお、福島事故後、水素爆発への対応として、触媒式の水素の処理装置(例えば1時間あたり0.5kgの処理装置を20台)[8]や、水素が発生した場合に、部分的に水素を燃やすイグナイター[9]という装置の設置が行われています。

8　カートリッジに入れたバナジウムを触媒にして水素と酸素を反応させて水にして取り除く装置。
9　電気火花により水素を燃焼させて取り除く装置。

　しかし、炉心溶融事故を起こした場合、水素は 500 〜 900kg あるいはそれ以上発生する可能性があります。設置された機器の処理能力は過小と言わざるを得ません。また、イグナイターは自ら水素爆発を誘発する危険性があります。確実な水素爆発対策をしているとは言えない状況です。

　このままでは、また事故を起こした時に水素爆発が発生し、さらに大規模な事故になることが懸念されます。

5　いまだにわからない事故の真相

　福島第一原発の建屋の中は放射線量が高く、未だに人が立ち入って直接の調査ができていません。したがって、これまで行われている事故原因調査は実機の破壊状況を確認できていないため、多くの仮説を含んでいます。事故の進展過程は現象面のデータとシミュレーション解析による推測の域をでていません。

　津波以前に、地震による配管や機器の破損の可能性もありますが、調査は困難を極め、東電も調査する熱意が感じられません。現在も多くのロボット等を投入して核燃料デブリの状況を調べていますが、一部が見つかっただけでどこにどのような状況に広がっているのかということすら、分かっていません。

　炉心溶融を起こした原発の事故が、通常、私たちが遭遇する事故とは全く異なるレベルの被害と経過をもたらすことが分かります。

　東日本大震災では、福島第二原発、女川原発、東海第二原

発もそれぞれ地震と津波に襲われましたが、ギリギリのところで炉心溶融を免れました。今回の原発震災は、むしろ「最小限にとどまった」ということかもしれないのです。

コラム　ここが変だよ、副読本①

副読本に「書かれていないこと」を考えよう

　文部科学省が『放射線副読本』という小冊子を発行しています。副教材として使うことを想定し、全国の小学校、中・高等学校に配られています。福島事故後の 2011 年に刊行され、2018 年に再改定版が出されました。

　この副読本については、多くの批判があります。ひと言でいえば、「放射線は自然にもあるもので、そんなに心配しなくていい。福島の復興は進んでおり、食品も安全」ということを強調する記述に終始しているのです。

　この副読本を読む場合、「何が書かれているか」よりは「何が書かれていないか」に注目する必要があるでしょう。

　例えば、「放射線の有用性」に関する記述はたくさんありますが、「放射線の害」に関する記述は極めて少なく、かつ具体的ではありません。

　「日本では医療被ばくが多い」ことが図示されていますが、それは「レントゲンでもこんなに被ばくしているのだから（気にしないで大丈夫）」という文脈で扱われています。「医療被ばくでがんが増えている」ことや「被ばくはあくまで医療による改善効果とのトレードオフである」ことに関する記述はありません。

　避難を余儀なくされている方々の声もなく、大量の作物を廃棄させられた農業者の声もありません。汚染された土の行き先がないこと、汚染水がたまり続けていること、子供たちの多くが帰還していないことも書かれていません。

　本書には副読本に書かれていないことをたくさん書きました。また、いくつかのトピックについて「ここが変だよ副読本」というコラムを設けました。ぜひご一読ください。

　なお、本書で直接引用しているのは、副読本「中・高校生版」です。

第2章　空気も水も土も生物も汚染された

　福島原発事故では、多量の放射能（放射性物質）が放出され、福島県だけでなく東北・関東地方の広い地域が汚染されました。汚染は広範な次元に及んでおり、空気も、土も、水も、生物も汚染されています。

　2019年現在、事故後8年を経て汚染地域の相対的な線量は下がってきていますが、これは主として半減期2年のセシウム134の減衰によるものです。今後は、半減期の長い（30年）セシウム137が中心になるため、放射能は徐々にしか減りません。30年でやっと半分です。

　また「除染」も行われていますがこれは「点と線」で実施されているにすぎず、広大な山林・原野は手付かずです。いったん除染した土地が雨水や土壌などの侵入で再度汚染されることもあり、また除染の結果として発生する汚染土壌を詰めたフレコンバックは増え続けています。野生生物の汚染も継続しています。

　福島第一原発では、いまだに大気中に放射能が放出され、大量の汚染水が発生し続けています。

1　「チェルノブイリ事故の 1/7」は印象操作

(1)　放射能の排出量はどれも推定された数値である

　福島原発事故により環境中に放出された放射能はどの位の量になるのでしょうか？

　日本政府は、事故直後から「チェルノブイリ原発事故との比較」という表現方法を用いてきました。事故直後は 1/10、2年目からは 1/7 という言い方をしており、文科省の副読本にも 1/7 と記載されています。しかし、この表現方法、数字には事故の規模を小さく見せようという明確な意図が感じられます。「チェルノブイリに比べたらたいしたことはないんだよ」というイメージ作りといっていいでしょう。

　そもそも「原発事故による放射能の排出量」は、どの研究機関のデータにしても様々な条件を設定し、さらに推定に推定を重ねた値です。このため、放射能の大気中への排出量についてもチェルノブイリ、福島ともに、試算した機関、研究者によって数倍から一桁程度の大きな幅が生じています。

　このような研究状況の中で、特定のデータを使い、あたかもそれが「事実」であるかのように 1/7 などと断じて見せる態度は、どう考えても科学的に不誠実なものです。

　この「1/7」がどのように作られているのか、以下でやや詳しく検討してみます。

(2)　放射能の総排出量は福島の方が少ない?

まず、事故による放射能の「大気中総排出量」に関するデータを3つ見てみましょう(表1)。

表1　放射能の大気中総排出量の比較

	研究者・機関	排出量＊
福島原発事故	原子力安全保安院・日本	(A) 1130
	ストール・ノルウェイ大気研究所	(B) 1530
チェルノブイリ	国連科学委員会	(C) 1320

＊排出量の単位は京ベクレル[1]。なお (B) はキセノン133とセシウム134・137のみのデータ。

大気中への総排出量はB>C>Aという順番になっています。

福島の排出量として、日本のデータ (A) を使うのか、ストールらのデータ (B) を使うのかで、チェルノブイリ (C) との比較論は180度異なる結果になることがわかります。

さらに言えば、大気中だけでなく海水や汚染水など排出された放射能の総量を比較した場合、福島の方が2倍以上多いとする研究もあります(山田耕作、渡辺悦司　2014年)。

(3)　1/7は「不活性ガス」を除いた数字です

それにしても、日本のデータ (A) を使って、国連科学委員会データ (C) と比較しても1130対1320。チェルノブイリより少なくはなりますが1/7にはなりません。9割弱というとこ

1　ベクレル (Bq) は放射能の単位。1Bqは1秒当たり1回の核崩壊を表し、多くは1本の放射線を放出する。京は10の16乗。

ろです。

　実は 1/7 というのは「大気中への放射能の総排出量」を比較したものではありません。そこからさらにデータの操作が行われているのです。具体的には、総排出量から「不活性ガス」を除外し、他の放射能についても一定の係数が掛けられています。

　原子力安全・保安院によれば、福島第一原発から放出された 1130 京ベクレルの放射能のうち、1100 京ベクレルがキセノンでした。

　キセノンやクリプトンなどは不活性ガスと呼ばれ、他の物質と化合しにくく、また拡散が速いガスです。このような性格であることを根拠に、不活性ガスは「無害」と判定され、放射能の排出量から除外されたのです。また、他の放射能についても「放射能の重大性を評価する」という観点から一定の係数がかけられています。

　このような操作を行った結果が「1/7」。

　問題は、二つあります。

　この計算は、「放射能の影響を評価する」という観点からいえば、問題は孕むものの、ひとつの考え方ではあります。しかし、「事故の規模を評価する」という観点では、むしろ総排出量で比較すべきものでしょう。事実、従来スリーマイル、チェルノブイリ等の原発事故の放射能排出量については、このような操作は行わず、「大気中への総排出量」の比較を行ってきました。

　何故、福島事故のあとになってこちらの計算に切り替えた

のか、事故を小さく見せようという意図を読み取らないわけにはいきません。

　もうひとつは、キセノンやクリプトンなどの放射性不活性ガスが本当に「無害」と言えるのか、ということです。キセノン133は半減期が5日と短く、強いベータ線を出しながら世界中に拡散します。スリーマイル島の事故では放出された放射能のほとんどが不活性ガスでしたが、風下で発がん率が上昇したという研究もあります。しかし、不活性ガスの影響については調査研究が少なく、端的にいえば「正確には影響はわからない」という状況にあります。福島第一原発の場合も、事故直後の風下での影響が懸念されています。

　「1/7」という数字は、ある特定のデータを使い、さらに従来は行っていなかった係数換算を行い、「正確には有害か無害かどうかわからない」ものを「無害」側に丸め込んで作り出したものなのです。

⑷　危険な放射性セシウムは福島の方が多いというデータも

　原発の事故では様々な放射能が放出されますが、その中で中・長期的に生物への影響が大きいのがセシウム134とセシウム137です。これらは環境中に長く残留し、放射線を出し続けるからです。

　この、セシウム134とセシウム137の排出量のデータを見てみたいと思います（表2）。

　Aは日本の原子力安全・保安院、Bはアメリカの原子力委員会、Cはソ連政府、Dは国連のデータです。

表2　セシウム 134、137 の排出量の比較

	福島事故		チェルノブイリ事故	
調査主体	A	B	C	D
セシウム 134	1.8	21.1	2.1	4.7
セシウム 137	1.5	14.8	3.7	8.5
合計	3.3	35.9	5.8	13.2

（単位　京ベクレル）

　数字を眺めてみれば、ここでも研究機関によるデータの振れ幅の大きさが目につきます。福島の事故によるセシウムの推定放出量は、アメリカ原子力委員会のデータは日本の安全・保安院のデータより 10 倍以上高くなっています。チェルノブイリについてもソ連政府と国連では倍以上の差があります。ちなみに、前述のノルウェイのストールらは、福島からの排出量はセシウム 137 だけで 36.6 京ベクレルという推計をしています。

　他の多くの推計も含め、セシウムの排出量についてもこのように大きなばらつきがありますが、事故を起こした国の政府発表は概して他の機関より低くなる傾向があります。

⑸　世界の認識は、「どちらもきわめて深刻な事故」

　こう考えてくると、福島とチェルノブイリを比較することにそもそもどういう意味があるのだろうかという疑問に突き当たります。「大気中への放出放射能は 1/7」などという恣意的な数字をもって、福島の事故を過小評価しようとする態度は完全に間違っています。

　世界的には、「福島はチェルノブイリの 1/7」などという評価はまったくありません。事故の深刻さについての国際社会の

図1：福島原発事故とチェルノブイリ原発事故の汚染地図

福島原発事故では海に流れたものが多いため、陸地の面積はチェルノブイリよりも狭いが、人口密度は高い。

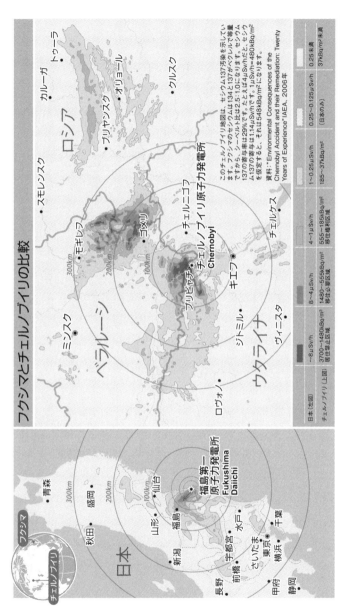

出典：早川由紀夫群馬大学教授作成資料

三訂版 2013年2月1日（初版2011年4月15日）

コラム　ここが変だよ、副読本②

　　副読本13ページには、図3枚と文章4行で「汚染状況が改善しつつある」こと（だけ）が説明されており、「県内の空間線量率は事故後7年で大幅に低下しており」「福島第一原発の直近以外は、国内や海外の主要都市とほぼ同水準」と記述されています。

　　2点だけ指摘しておきます。
① 　「事故後の空気中の放射線量の変化」という図について。この図では、事故後78カ月で空間線量率が大幅に低下していることが強調されています。
　　しかしこの図は、当たり前のことを言っており、同時に必要なことを述べていません。半減期2年のセシウム134は放っておいても6年間（72カ月）で8分の1まで減衰します。
　　しかし、今後は半減期30年のセシウム137が中心になりますので、こちらは事故後30年でようやく半分です。セシウム134と137は事故の際にほぼ同量放出されました。
　　セシウム137が問題となる今後は、これまでのようには減衰しません。
② 　その下には、「現在の福島県内各地と世界の放射線の量の比較」という図があります。これを見ると福島県内（7地点）すべてが、0.2マイクロシーベルト／h以下になっています。最高値が福島市の0.15。福島市以外はさらに一桁低い値です。（0.04〜0.09）。線量の低い、除染してあるモニタリングポストを選択的に拾ってあるからです。
　　実は、上で言及した「事故後の空気中の放射線量の変化」図には0.2マイクロシーベルト／h以上のエリアが福島県内に広大に残っていることが明示されています。サンプリングが全く不適切であることが、同じページを見るだけでもわかってしまうのです。

認識は同等といっていいでしょう。このような架空の数値を振り回すことは、「アンダーコントロール」などの言辞と同様に、根拠なき楽観を振りまくフェイクとすら受け取られかねません。

福島も、そしてチェルノブイリも、それぞれの地域と地球全体を大きく汚染したのです。

2　土壌の汚染は今も深刻

(1)　福島の土は広い範囲に放射能で汚染された

福島原発事故により福島県の各地は深刻な放射能汚染に見舞われました。福島以外でも、茨城、栃木、群馬、千葉、東京、神奈川、宮城、岩手など関東・東北地方、また、長野、新潟、山梨、静岡などでも主に放射性セシウムによる土壌汚染が確認されています（みんなのデータサイトマップ　2018）。

資料にもあるように、空間線量率は下がってきましたが、今も土壌の汚染は継続しています。特に林の土壌汚染は深刻です。

なお、ストロンチウムによる汚染も確認されていますが、こちらの方は検査も少なく、ほとんど発表されていません。

(2)　汚染土を詰めたフレコンバックは増え続ける

福島県内では「除染」が行われました。除染というとあたかも汚染が取り除かれるようなイメージがありますが、実態は汚染された土などを別の場所に移動させることを指します。放射能の場合、汚染された土を移動させ、1カ所に集めてもそこで何らかの「無害化」ができるわけではありません。しかも、

写真 1. フレコンバックの山
野積みされているフレコンバッグ。福島県楢葉町。
(撮影：後藤康彦　2013 年 5 月)

　除染されるのは人家、道路、田畑など人が生活しているところ
だけです。福島県の面積の 71％、9720㎢ もある森林は除染さ
れていません。原野や河川敷なども除染されません。

　この、除染作業の結果発生した大量の汚染土は今後どうな
るのでしょう。その量は、福島県内だけでも 2200 万㎥（東京
ドーム約 18 杯分）に及び、フレコンバックという大きな袋に入
れられて県内の各地に野積されています。フレコンバックが破
れたり、洪水で流されたりして、行方不明になっている汚染土
もあります。

　当初の計画では汚染土は「中間貯蔵施設」に搬入され、そ
の後に「最終処分場」に処分する方針でした。しかし、最終処

分場は未だに決まっていません。中間貯蔵施設も決まっていない所が各地にあります。汚染土は福島県外でも発生しており、合計2万7000トンにもなります。

(3) 汚染土を建設材料にしようという最悪の計画

除染事業によって放射能を集めてみたものの、その先が行き詰まっている結果、現在この汚染土を公共工事などに使うという計画が進められています。

従来は100ベクレル/kg以上のものを放射性の汚染物質として保管していましたが、このうち福島原発事故で発生した8000ベクレル/kg以下の放射能汚染物質を「再利用」の名のもとに堤防や道路・鉄道の盛り土や水面の埋め立てなどに使うというのです。汚染した土の周囲をコンクリート等の構造物でおおい、中の放射能が出てこないようにするという話になっていますが、コンクリート構造物の寿命は管理下にあってもせいぜい数十年から100年程度です。数十年先に、「堤防のコンクリートのひびからにじみ出ているのは汚染水！」というようなことが全国で頻発しかねません。

除染のためにわざわざ集めた汚染土をまたばらまく。どう考えても、汚染を拡大する暴挙としか言えません。次の世代に、放射能道路や放射能堤防を残すような愚挙だけはなんとしても避けねばなりません。

(4) 「除染事業」は税金の無駄遣い

除染については、事業開始当初からその必要性や効果につ

いて多くの疑問が出されていました。

　点と線の除染を行っても、周囲には汚染された広大な林や原野や河川敷が広がっています。道路から一歩入れば、そこは依然として高線量エリアなのです。雨水は高低に従って移動しますから除染されたエリアにも自由に流れ込み汚染土を運び込みます。風により土壌は舞い上がり運ばれます。

　「除染」を行えば、当面のところその場所の線量は半分くらいには下がります。しかし、放射能の自然減衰以上にどれほど除染の効果があったのか、経時的・総体的な検証は行われていません。

　2016年のエネルギー白書によれば、「除染」には6兆円が投じられるとしています。除染事業で多額の予算が業者に流れたことだけは、間違いありません。

　実はフレコンバックの中身には土だけでなく、草木などの可燃物も含まれます。可燃物を焼却すれば容積は減りますが、より濃縮された放射性の灰が残ります。実際、各地の自治体ではごみ焼却場の焼却灰や下水処理場の汚泥の放射性セシウムが高濃度となり、その処理に悩まされています。また、焼却の際の放射能の拡散も問題になっています。

　実は、福島の除染事業ではこの可燃物の焼却が広範に行われています。廃棄物の減容（容積を減らすこと）という名目で、除染関連費用の半分以上が「仮設焼却炉」（減容化施設と呼ばれます）に投じられてきました。この仮設焼却炉は県内約20カ所に作られ、1年程度運転してその地域の可燃物の焼却が終わると壊されています。飯舘村の減容化施設の実質的稼働期間は

2カ月でした。

　ショックドクトリンという言葉があります。「惨事便乗型資本主義」などと訳されますが、大惨事に見舞われ、人々が茫然自失に陥り強く復興を願っているようなタイミングに付け込んで、荒稼ぎをするような企業活動、経済政策を指す言葉です。

　福島の除染事業は、この典型的な事例と言っていいでしょう。

3　水も汚染された

⑴　東京都の水道水も汚染された

　事故後の2011年3月20日、福島県飯舘村の水道水からは965ベクレル/kgの放射性ヨウ素131が検出されました。

　3月22日には東京都葛飾区の金町浄水場の水道水からも210ベクレル/kgのヨウ素131が検出され、配水を中止しました。そのために、都内の店頭からペットボトルの飲料水が無くなる騒ぎが起きました。なお、現在の飲料水の基準値は10ベクレル/kgとされています。

⑵　海水も高濃度に汚染された

　2011年3月21日、福島原発の南放水口付近の海水から安全基準値を大きく超える放射能が検出され、最大では10000ベクレル/kgを越えました。翌22日には、原発から16km離れた地点の海水からも安全基準の16倍の放射能が検出されました。

⑶　関東・東北地方の河口や湖沼も汚染された

2011年11月25日、朝日新聞は阿武隈川から海に毎日500億ベクレルのセシウムが流れ込んでいると伝えました。

福島県以外でも群馬県赤城山の大沼など内陸の湖沼や溜池、千葉県の手賀沼などホットスポット地域の沼、東京湾にそそぐ江戸川などの河口、阿武隈川河口の泥など各地で高い放射能汚染が見つかっています。川を流れている水そのものの汚染濃度は下がってきましたが、一部河川や湖沼の底にたまった泥の汚染は現在も続いています。

⑷　増え続ける汚染水……トリチウムは有害です

福島第一原発では現在も炉心を冷却し続けていますが、この冷却水と、なお流入が続く地下水とが混じって大量の汚染水が発生しています。約1000基のタンクに貯蔵されている量は111万7000トンにもなり、現在も増え続けています（2019年10月現在）。

放射性核種の除去も行われていますが不十分であり、またトリチウムは技術的に除去できません。2018年8月には従来は除去されていると説明されてきたストロンチウム90やヨウ素129が基準値以上に残留していることも判明しました。

国や東電はそのトリチウムを含む汚染水を「トリチウムは原発などから大量に放出されているから問題ない」として海に流そうとしています。しかし、この原発からトリチウムを放出

していること自体が大きな問題なのです。

　トリチウムは DNA など有機物に取り込まれ遺伝情報を乱す
など生物に影響を引き起こすと考えられます。事実 1980 年代
には、「トリチウムが動物実験で染色体異常を起こす」ことが
報告されているのです。

　また世界各地の原発や核処理施設の周辺地域では、事故が
なくても子どもたちを中心に健康被害が報告されており、その
原因はトリチウムなのではないかと考えられています。

　せっかく回収したトリチウム汚染水を海洋に放出すること
は、汚染土のばらまきと共に地球環境を汚染し、回りまわって
生物や人間に影響を及ぼすことになります。

4　生物も汚染された

⑴　農林水産物も汚染された

　農林水産物も汚染されました。事故直後には次のような高
濃度の汚染が報告されています。


```
ホウレンソウ　　ヨウ素　　　19000 ベクレル /kg
　　　　　　　　セシウム　　40000 ベクレル /kg
　　　　　　　　　　　　　　（2011 年　田村町）
コウナゴ　　　　ヨウ素　　　12000 ベクレル /kg
　　　　　　　　セシウム　　12500 ベクレル /kg
　　　　　　　　　　　　　　（2011 年　いわき沖）
```

　ホウレンソウの汚染は、現在の食品に関する規制値のそれ
ぞれ 190 倍、400 倍という恐るべき数値です。

　米も汚染され、2012 年 1 月 4 日、福島県内 3 市 9 地区の米
から 500 ベクレル /kg を超えるセシウムが検出され、出荷制
限になりました。なお、一般食品の現在の規制値は 100 ベク
レル /kg とされています。[2]

　2019 年現在、田畑の除染や農家の努力によって「農作物」
の汚染は減少してきています。

　具体的には、市場で流通している農作物については検査に
かけられ、ほぼ規制値以下に抑えられていると判断できます（な
お、100 ベクレル /kg という規制値が安全かどうかについては別途問
題があります）。[3]

　一方、山菜やきのこ、イノシシやシカの肉（ジビエ）など、
マーケット外で流通している食品については規制値を超えるも
のも多く、依然として危険性が高いと言わざるを得ません。

　実際、2018 年になっても、野生きのこ類、コシアブラやタ
ケノコなどの山菜そしてイノシシやクマの肉などからは 100
ベクレル /kg 以上の放射性セシウムが検出されています。福
島県はもちろん、東北・関東各地や長野県、山梨県、静岡県な
どの野生きのこからも 100 ベクレル /kg 以上の放射性セシウ
ムが検出されており、福島県では 1000 ベクレル /kg を超える

2　福島原発事故後の暫定食品規制値は 500 ベクレル /kg でしたが、2012
　年 4 月 1 日より現行の規制値 100 ベクレル /kg に変更になりました。
　なお、飲料水の規制値は 10 ベクレル /kg、牛乳や乳児用食品は 50 ベ
　クレル /kg になりました。
3　農産物の検査は、コメは全袋、その他の野菜類はサンプリングで行わ
　れています。

ものも多数あります。

(2) 野生生物は厳しい汚染の中で生きている

野生生物の汚染は極めて甚大です。例えば、次のような調査結果が報告されています。核種はいずれも放射性セシウムです。

```
ミミズ        390000 ベクレル /kg（2012 大熊町）
カジカガエル   160000 ベクレル /kg（2012 年浪江町）
アカネズミ    170000 ベクレル /kg（2015 年大熊町）
```

これらは、前述の汚染された食品類と比べて、さらに一ケタ以上高い汚染濃度です。

森林などの自然生態系の中ではセシウムは循環し、流出しないでその場にとどまります。落葉や木材も汚染され続けています。

山菜やきのこも汚染が継続しています。木材はシイタケなどのきのこの「ほだ木」にも使えません、燃やして燃料にすることも難しい状況です。野生の動植物や菌類は、「除染」などされていない山林・原野で今も高濃度の放射能の中で暮らしているのです。

(3) 形態レベルの異常も発生しています

形態や遺伝子レベルの異常も報告されています。

琉球大学の大瀧丈二准教授らが福島県のヤマトシジミチョ

コラム　きのこの汚染は深刻

　きのこはセシウムを蓄積する性質があり、各地で高いセシウム濃度のきのこが見つかっています。

　外生菌根菌（以下菌根菌）の菌糸は樹木の根と共生しています。例えば、マツタケの菌糸は土壌からリンや窒素を吸収して松の根に与え、マツは光合成産物をマツタケに与えています。その菌根菌のセシウム濃度が現在も依然として高い値を保っているのです。

　森林では、土壌がセシウムを吸着します。そのセシウムはきのこの菌糸によって土壌から吸収され、菌糸から植物に入り、その植物の落葉は落葉分解菌が、材は木材腐朽菌が分解して再び土壌に戻るというサイクルが形成されています。このため、森林生態系の中ではセシウムは流出せずに循環することになり、半減期で減少する以上には減りません。

　福島県の飯舘村で筆者が 2014 年に採集した菌根菌のコウタケとハツタケからは 17 万ベクレル /kg を越えるセシウムが検出されました。茨城県で 2017 年にも 300 ベクレル /kg を超える野生きのこが、東京都でも 100 ベクレル /kg を超える野生きのこが数多く見つかっています。

　福島から 300km 離れた富士山でも、現在も野生きのこは 100 ベクレル /kg を超えるため、周辺自治体のすべてで採集、摂食、販売が自粛・禁止されています。

ウから羽根の異常、片方の短脚、触角の異常を検出しました。放射線の空間線量率が高いところほど、異常が多発していました。

　北海道大学農学研究院の秋元信一教授は2012年6月に福島県川俣町で採集したアブラムシの一種（オオヨスジワタムシ）の約1割に、腹部が二つに別れるなどの今まで全く見たことのない形態異常を発見しました。また、複数の形態異常の個体で遺伝子配列の変化が見られました。

　日本獣医生命科学大学の羽山伸一教授らはニホンザルの健康被害調査を行いました。福島県の10〜30万ベクレル/㎡の場所で捕獲したニホンザルの筋肉中の放射性セシウムは6千〜2万ベクレル/kgにも達していました。

　更に、福島と下北半島のニホンザルの白血球を比較した結果、セシウム濃度が高いほど白血球の減少が大きいこと、造血細胞が減少していることが分かりました。また、福島の子ザルの体重と脳の容量は事故前よりも事故後に有意に減少していました。

　福島原発事故が自然に与えた影響は、広く深く、現在も続いています。

5　福島県の山菜きのこの放射線調査の怪

⑴　福島県は低線量地域を選んで山菜の調査をしている

　福島県の農林水産物のモニタリング検査では、コメや野菜、海産の魚介類は100ベクレル/kgを超えたものはなくなり、

超えたのは川魚と山菜だけになってきました。

　福島県は、「野生の山菜で 100 ベクレル /kg を超えたものは 2017 年に 1 試料、2018 年も 1 試料のみ、きのこは 2015 年以降ゼロです」と安全を強調しています。福島県の農林水産物は安全であり、「問題なのは風評被害だ」というのです。

　しかし、実際には前述の通り森林生態系の汚染は継続しており、したがって、山菜やきのこは現在も高い汚染濃度を保っています。

　何故このような検査結果が出るのでしょうか。

　試料の採取地を見てみると、福島県の農林水産物のモニタリング検査で規制値を超えたとされているのは、北塩原町のタラノメ 117.5 ベクレル /kg と鮫川村のモミジガサの 179 ベクレル /kg の 2 件でした。

　実はこの、北塩原町、鮫川村は比較的にセシウム濃度が低い地域なのです。逆に、セシウム濃度が高濃度の浜通りはもちろん、中濃度の中通りの山菜もほとんど調べられていません。

　他の試料についても、山菜で最もセシウム濃度が高いコシアブラは、僅か 3 試料をセシウム濃度が低い桧枝岐村から採集して調べているだけです。タラノメやゼンマイ、コゴミ、ワラビなど比較的高い濃度の山菜も高汚染地域では採集していません。

　これでは規制値を超える山菜が非常に少ないのも当然です。県のモニタリング調査は、福島全体の山菜の汚染状況をまったく反映していないのです。

コラム　ここが変だよ、副読本③

　放射性セシウムの食品中の基準について、副読本には次のような表が掲載されています（副読本17ページ）。

（単位　ベクレル／kg）

	日本	EU	米国	コーデックス＊
放射性セシウム（セシウム134セシウム137）	飲料水　　　　10 牛乳　　　　　50 乳児用食品　50 一般食品　　100	飲料水　　　1000 乳製品　　　1000 乳児用食品　400 一般食品　　1250	すべての食品1200	乳児用食品1000 一般食品1000

　＊コーデックスは輸入食品の国際規格

　説明では、「日本の基準値は、他国に比べ厳しい条件の下設定されており、世界で最も厳しいレベルです」と記載されています。しかし、これは虚偽と言っていいレベルの記述です。

　実は副読本のこの表は復興庁のデータに基づいています。そして、復興庁がこの元データを発表したとき、すでに外部から誤りを指摘されています。復興庁は、日本の数値は「平常時」のものだが、EU、米国、コーデックスは「緊急時」のものだったと後になって説明しているのです。

　ちなみに、飲料水の平常時の基準値はEU 8.7ベクレル／kg、アメリカ 4.2ベクレル／kgとなっています。

　復興庁は本来比較できないデータをあえて並べて「世界で最も厳しい」などと記述しました。そして、そのデータ、記述は修正されないまま、文科省の副読本に掲載され続けているのです。

（2）　野生きのこの調査はもっと露骨

　このサンプリングの偏りは、きのこについてはもっと露骨です。

　野生きのこで100ベクレル/kgを超えたものは2015年以

降ゼロとされています。しかし、線量の低い栽培きのこを 778 試料も調べているのに、線量の高い野生きのこは 36 品目 129 試料に過ぎません。

　さらに、セシウム濃度の高い外生菌根菌のコウタケ、サクラシメジ、チチタケ、シモフリシメジ、クロカワ、ホウキタケなどは、2012 年までは各地で採集していましたが、それ以降は線量の低い西会津、南会津で採集し、基準値を超えると想定される地域で採集したきのこは測定していません。

　これでは基準値超えがゼロになるのも当然です。

　2019 年の日本菌学会大会では、現在も相馬、飯舘地区で 1 万ベクレル /kg を超えるきのこの事例、いわき市や郡山市でも 1000 ベクレル /kg を超える事例が報告されています（広井　勝　2019）。

　福島県の調査では山菜やきのこは基準値を超える恐れのある試料を濃度の高い産地からは採集していないのです。この様な調査の結果に基づいて、福島の山菜やきのこを含む農林水産物は安全であると言われても信頼することができません。

　多くの「農産物」のセシウム濃度は基準値以下に低下しています。しかし、野生のきのこや山菜は依然としてセシウム濃度が高いものも多く、今後も継続して注意していくことが必要です。

第3章　多くの住民が被ばくした

　政府はこの間一貫して、福島原発事故では「住民の被ばく線量は低かった」と言ってきました。しかし、現実の住民の被ばく線量に関する調査はまったく不十分であり、特に事故直後の被ばく線量については現在でもきちんとした検証が行われていません。この時期に多くの線量を受けているという研究があるにもかかわらず、公的にはいわば「なかったこと」にされているのです。

　実際には、事故直後、情報が伝達されなかったために避難が遅れ、あるいは適切な方向に避難がなされなかったために多くの住民が受けなくても済んだ被ばくをさせられました。

　福島では、子どもたちの甲状腺がんも多発しています。事故直後には死産の増加など、胎児への影響も見られました。がん以外の様々な病気も増えています。

　このような状況の中で、通常（年間1ミリシーベルト）より大

1　第5章コラム参照。シーベルト（Sv）は放射線の人体への影響を表す人為的な単位である。等価線量、実効線量さらには空間線量率にも

56

幅に高い汚染と言える「年間 20 ミリシーベルト」以下の地域に住民が帰還させられています。

1　住民は無用な被ばくをさせられた

(1)　事故直後の初期被ばく線量はわからない

福島原発事故による住民の被ばく線量は一体どの位なのでしょうか？

実は、文部科学省による各地の累積線量は、肝腎な事故直後の 8 日間が抜けています。いうまでもなく、最も被ばく線量の多い時期にあたります。そのため、住民の初期被ばく線量は正確には判りません。内部被ばく線量もほとんど調べられていません。

稼働していた一部のモニタリングポストや各地の研究機関の定期的な測定データなどを利用し、また半減期の短いヨウ素 131 の初期被ばく線量をセシウム 137 から推定するなど、初期被ばく線量については少ないデータを使って推定を重ねるしかないという状況にあります。

(2)　初期被ばくはヨウ素 132 とテルル 132 が危ない

このような困難な条件がある中、京都精華大学名誉教授の山田國廣博士は「初期被曝の衝撃」で地域ごとの住民の初期被

用いられている。内部被ばくが軽視されており、同じ単位を色々な意味に用いるために混乱をきたしている。ミリシーベルト（mSv）はシーベルトの 1/1000。マイクロシーベルト（μSv）はミリシーベルトの 1/1000。

ばく線量を推定しています。

　山田博士は、「2011 年 3 月 15 日から 16 日の初期被ばく線量
は、テルル 132[2] とヨウ素 132 が中心で、この両者でヨウ素 131
やセシウム 134、137 の外部被ばく線量よりも多く 6 割以上を
占めている」としています。

　テルル 132 とヨウ素 132 の初期被ばくを考量しない公式の
住民被ばく線量は明らかに過小評価になっているのです。

(3)　放射能の流れた方向に避難してしまった浪江町民

　3 月 12 日 15 時 36 分に 1 号機が水素爆発した際、まさしく
このような事態に備え、100 億円以上かけて作られた SPEEDI
（緊急時迅速放射能影響予測ネットワークシステム）の情報は住民に
伝えられませんでした。

　事前の住民への説明では「万一の事故の時には避難に活用
する」と説明されていたにもかかわらず、です。

　当時は、「地震の影響で炉心からの放射能放出状況のデータ
が入力できなかったため」であると説明されていました。

　一方、仮の放射能放出データを入力し、当時の気象状況と
地形を踏まえた放射能の拡散状況はシミュレーションされてお
り、この結果は在日米軍やアメリカ大使館には提供されていた
ことが分かっています。しかし、このデータも住民には提供さ
れませんでした。

2　テルル 132 は半減期 3 日で、β 線と γ 線を放出してヨウ素 132 になり
　ます。さらにヨウ素 132 は半減期 2 時間で β 線と γ 線を放出してキセ
　ノン 132 になり安定します。このようにキセノンに至る過程でヨウ素
　132 になるため、主に甲状腺の内部被ばくが問題になります。

　必要な情報が伝えられなかった結果、1号機の水素爆発により避難地域が半径3kmから20km圏内に拡大された際（3月15日）、浪江町民1万人は、放射性プルームの流れた北西方向に避難してしまいました。SPEEDIのデータがようやく住民に一部公表されたのは3月23日のことです。この間、多くの住民は放射能にさらされる方角に「避難」したのです。

　現実には「パニックが起こることを懸念」し、データが公表されなかったことは明らかです。住民の安全をないがしろにしたと言わざるをえません。

⑷　避難が遅れて被ばくさせられた飯舘村の住民

　事故当時、飯舘村はさらに酷い状況におかれました。

　SPEEDIのデータからは、原発の北西方向にあたる飯舘村が高い放射線濃度であることは明らかでした。しかし、飯舘村は、福島第一原発から30キロ以上離れており、事故当初に同心円状に区切られた「20キロ圏内」の警戒区域の外側にありました。

　当時、自主的に避難しようとする村民を「県の放射線アドバイザー」をつとめる大学教授たちが訪れ、「大丈夫だから」と説得して回ったことが知られています。しかし現実には放射性プルームに直撃され、高濃度の汚染地域になっていたのです。

　事故後、3月28日に現地を訪れた京都大学原子炉研究所の今中哲二は次のように語っています。

　「40年近く放射線作業に従事してきた私の経験からして、

信じがたいくらいの放射能汚染が飯舘村全域に広がっていた。そうした汚染の中で、村の人たちが普通の生活を続けているのを見て、私たちは唖然とした」

　この時、今中は福島第一原発の北西約 40km の「避難区域外」とされていた飯舘村の土壌約 326 万ベクレル /m² という極めて高い濃度のセシウムを検出しています。3 月 31 日には、国際原子力機関（IAEA）も、同村で 200 万ベクレル /m² のヨウ素 131 を検出しました。
　しかし、放射線を浴び続ける飯舘村の人びとに「1 カ月をめどに全村避難」指示が出されたのは、何と事故から 1 カ月後の 4 月 11 日のことでした。実際の計画的避難が開始されたのは、さらにひと月あとの 5 月 15 日でした。
　この間、飯舘村の人びとは大量の放射能にさらされ、被ばくを強いられました。

（5）　**配られなかったヨウ素剤**
　ヨウ素剤はあらかじめ飲むことで甲状腺をヨウ素 131 などから守り、甲状腺がんを予防する薬です。チェルノブイリの経験から、甲状腺がんを予防する上ではきわめて有効であることが確認されており、実際福島には薬剤が備蓄されていました。
　しかしながら、「原発事故はあり得ない」という「神話」があったために事故時点まで配布・服用に関する訓練はまったく行われていませんでした。また事故当時はテレビに登場した「専門家」が「ヨウ素を服用する必要はない」とコメントし続

けるという、現実を無視した広報が行われていました。

このため、福島県は配布指示を出さず、県内でヨウ素剤を服用したのは富岡町と三春町、そして双葉町と大熊町の一部でした。いわき市、楢葉町、浪江町では、配布しましたが、ほとんど服用はしていません（国会事故調査報告書、2012 年）。

多くの自治体ではヨウ素剤は配布、服用されていませんが、福島県立医科大学の職員とその家族には配布されていたことが知られています。

現在福島では子どもの甲状腺がんが多発しています。ヨウ素剤が配布されなかったこととの関係も疑われます。しかし、この件に関する調査研究はまったく行われていません。

2　福島では子供たちに甲状腺がんが多発している

⑴　甲状腺がん検査は「県民を安心させる」ためだった

福島県は、県立医科大学を中心に 2011 年 10 月から 18 歳以下の県民の甲状腺の検査を始めました。当時、甲状腺がんの発生は多くないと考えられており、研究そのものも、「県民を安心させるために行う研究」との位置づけでした。

また、甲状腺がんは被ばく後すぐには出ないと考えられていたことから、当初は本格検査からの予定でしたが、住民の要望などで 2011 年から先行検査（1 巡目検査）を行ったのです。この先行検査では被ばくによる甲状腺がんの検出は想定されておらず、

本格検査の比較対象として調査を行うという位置づけでした。ところが、予想に反して「先行検査」の段階で 100 名を超える多数の甲状腺がんが見つかったのです。

　当初、福島県、福島県立医科大学は「精緻な検査を大がかりにやったので、見つけなくてもいいガンを早期に見つけてしまった」（＝スクリーニング効果といいます）だけであると言っていましたが、この弁明は現実によって完全に否定されています。

(2)　甲状腺がんの多発は明らか

　次の表 1 は、福島県、福島県立医科大学が行い、県民健康調査検討委員会に報告された甲状腺がん検査の結果です。

　第一巡目の検査（2011 ～ 2013）の結果を見てみましょう。

　福島県の子どもたち約 30 万人を調べた結果、「悪性ないし悪性疑い」が 116 人も発見されました。

　このうち 102 人が手術を受け、101 人が「甲状腺がん」と診断され良性腫瘍は 1 名でした。

　2 巡目検査でも「悪性ないし悪性の疑い」は 71 人、うち 52 人が手術を受け、52 人全員が悪性がんと診断されています。

　3 巡目検査でも「悪性ないし悪性の疑い」は 29 人。手術し

3　2011 年 6 月より福島県立医科大学が中心になり、県民の健康不安の解消や将来にわたる健康管理の推進等のために甲状腺検査など 4 項目の調査を実施してきています。山下俊一座長らは不透明な運営を批判され退任しました。甲状腺がんの多発は認めていますが、放射線との関連は認めず、検査の規模を縮小しようとしています。

表1　甲状腺検査結果（2019.10.7 県民健康調査検討委員会）

検査名	1巡目検査 （先行）	2巡目検査 （1次本格）	3巡目検査 （2次本格）
検査実施年度	2011～2013	2014～2015	2016～2017
悪性ないし悪性疑い	116人	71人	29人
うち手術者数	102人	52人	19人
ガンの確定診断	101人	52人	19人
検査結果確定者数	300472人	270540人	217869人

た19名全員が悪性がんでした。

　この表以外に現在では4巡目検査も行われており、10万5927名が受診し、13名が「悪性ないし悪性の疑い」でした。うち、手術を受けた1人は悪性がんでした。

　これを合計すれば、過去8年間で229人が「悪性ないし悪性疑い」と診断され、手術の結果は、174名中173名が悪性がんだったということになります。

　手術した者のうちがんであった割合は99.4%になります。

　「悪性ないし悪性疑い」という言葉も紛らわしい言葉です。甲状腺の細胞診で手術が必要と診断されたものを、がんと言わずに、「悪性ないし悪性疑い」という曖昧な言い方をしたのです。

　しかし、福島でこの8年間で子供の甲状腺がんが173人発生したことは否定のできない事実です。

　一方、国立がんセンターのがん統計によれば、1998年から2007年までの10年間で、全国の0歳から19歳までの小児甲状腺がんの発症率は100万人に2.1人でした。福島にあわせて分母を30万人とすれば、0.63人。8年分を見ても、約5人。

岡山大学の津田敏秀教授によれば、一巡目の検査結果から福島県の小児甲状腺がんは全国推定の 32 倍、中通り地区は 50 倍とされています。子どもの甲状腺がんが多発していることは明らかです。

　なお、福島では県民調査で明らかになった以外にも甲状腺がんの患者が二ケタいると推定されています。

　公式の県民調査に含まれない甲状腺がんの子どもが見つかっているのです。二次検査で「経過観察」となった患者は甲状腺がんと診断されても県民調査には含まれませんでした。民間団体の「3.11 甲状腺がん子ども基金」の給付対象者で事故当時 4 歳の子どもが県民調査のデータに含まれていなかったこともわかっています。

　また、県は甲状腺がんの手術をした子どもに対して助成金を支出していますが、この助成金はこれまでに再発患者も含め 233 人に支出されています。このように実際には県民調査で漏れている甲状腺がん患者が多数いるのです。

　実際の甲状腺がんの患者の詳細な発生状況は把握されておらず、現在も明らかになっていません。

　税金を使った県民調査は県民の健康を本当に守るためのものになっていないのです。

(3)　実際に手術が必要な甲状腺がん

　あらためて、福島県、福島県立医科大学の「必ずしも治療の必要がない潜在がんを過剰診断により見つけているだけ（スクリーニング効果」という主張を検証してみましょう。

　この主張は事実によってはっきり否定されています。

　ほかならぬ福島県立医科大学で、鈴木真一教授が手術した97人の甲状腺がんの子の75％はリンパ節に転移し、更に92％の子にはリンパ節転移、甲状腺外への浸潤、遠隔への転移の少なくともいずれかが見られました。

　実際に手術を行った患者の97％は早急な手術の必要があり、潜在がんではありませんでした。

　過剰診断ではないのです。

　福島県、福島県立医科大学は完全に自己矛盾に陥っています。

　「過剰診断で、治療の必要のない甲状腺がんだった」のであれば、手術は間違いです。

　不必要な手術を行ったことになりますから、その責任が問われる事態です。病気じゃないのに切っちゃった。刑事事件のレベルです。

　「手術の必要な甲状腺がんだった」というのであれば、やはり200人規模で甲状腺がんが発症していることを認めざるを得ません。

　福島県の県民健康調査検討委員会も、子どもの甲状腺がんの多発そのものは認めざるを得なくなっています。

3　甲状腺がんが増えたのは原発事故の放射能の影響

⑴　「発症するはずがない」から無いという錯誤

　2016年3月、福島県の県民健康調査検討委員会は「数十倍のオーダーで甲状腺がんが発見され

ている」と甲状腺がんの多発を認めました。しかしその一方で、放射能との関連は否定しています。関連性を否定する根拠は、「短期間では甲状腺がんは発生しない」という旧来の知見でした。

「甲状腺がんは被ばくから5年程度たたないと発症しない」という思い込みが、事実を直視できなくしているのです。このような認識の錯誤、倒錯はチェルノブイリ事故の時にも起きた現象です。

チェルノブイリの時には、8年以内の発症は無いと言われていました。

さらに、この背景には、「福島の甲状腺がんは放射能の影響ではない」という共通認識を作りたいという政治的な圧力があります。「福島の復興は進んでいる。人的な被害は軽微」というようなフェイクな社会認識の形成が目論まれてきています。

今求められているのは、事実を正面から見据え、有効な対策を追求する姿勢です。

(2) 子供の甲状腺がんは被ばく後1年で発症する

米国疾病管理センター（CDC）が2013年に発表した子どもの甲状腺がんの最短の潜伏期間は1年です。チェルノブイリでも実際には事故後1年目から子どもの甲状腺がんが増えています。

福島についても、次のような検査結果があります。

2巡目に「悪性ないし悪性の疑い」であった71人の「1巡目」の検査結果の判定は次の通りでした（表2）。

表２　１巡目の検査結果

異常なし	32 人
５ミリ以下の結節　20 ミリ以下ののう胞	33 人
それ以上の結節　のう胞	6 人

　２巡目の検査（2014 ～ 2015 年）でがんと判定された 71 人のうち 32 人は、その約２年前に行われた１巡目の検査（2011 ～ 2013 年）では「異常なし」という判定だったのです。これは、被ばく後４年以内の、かつわずか２～３年の間に、新たに甲状腺がんが発生したことを意味します。

　旧来の知見とは異なり、甲状腺がんはかなり早い時期から発生しているのです。福島の子どもの甲状腺がんは、事故による放射線の影響と考えざるをえません。

(3)　地域的にも明らかな放射能と甲状腺がんの関係

　前述の津田教授は市町村別の甲状腺がんの発生結果を分析し「地域的な発生比率からも放射能の被ばくと甲状腺がんの発生には関連が見られる」「放射能の影響は明らか」と明言しています。

　表３をご覧ください。2017 年、宗川吉汪（京都工芸繊維大学名誉教授）は福島県を浜通りと中通りとその他の地域に３分割し、事故当時８歳から 19 歳の 10 万人当たりのがんの罹患率が明確に違うことを示しました。なお、この３分割は福島県健康調査検討委員会の区分とは異なることに注意が必要です。

　宗川は「本格検査における３地域の急激な上昇は、甲状腺がんの発症に原発事故が影響していることを示している」と結論しています。

表3　福島県の地域ごとの甲状腺がんの罹患率

地　　域	線量レベル	先行検査＊	本格検査＊
浜通り（13 市町村）	高い	10.5	34.7
中通り（12 市町村）	中程度	10.3	24.7
その他（34 市町村）	低い	8.4	14.6

＊ 10 万人・年あたりの甲状腺がんの罹患した人数。高汚染地域の浜通りでは高く、低線量地域では低くなっている（宗川吉汪　2017 年）。

　ちなみに、がんの多発を指摘した前述の津田教授の研究が明らかになったあと、県は 3 巡目からの市町村別の甲状腺がんの発生を発表しなくなりました。露骨な情報隠しと言わざるを得ません。

　これ以外にも、県・国による圧力・情報隠しが相当はげしく行われており、研究所や大学に在籍する原子力・放射能関係の研究者の中にも、「データは国が出すので勝手に発表しないように」という圧力を受けている人がいます。

(4)　福島の甲状腺の被ばく線量は決して少なくない

　この間、県や国はチェルノブイリに比べて福島の被ばく線量は少ないと主張してきました。しかし、ヨウ素 131 の放出量はチェルノブイリ原発事故より多いとのデータもあります。また、これも前述のように事故後 8 日間の公式の放射線量のデータは欠落しているのです。

　前述の山田國廣は、2011 年 3 月 15 日には大量のヨウ素 131 の他にヨウ素 132 とテルル 132 が原発から北西方向に流れたと指摘しています。その方向に居住していた人、避難した多くの人が甲状腺の被ばくをしている可能性はきわめて高いので

す。

　チェルノブイリ事故後のウクライナでは、約 13 万人の子ど
もの甲状腺の放射能を直接測定しました。しかし福島では事故
直後の甲状腺の被ばく線量の測定はまったく不十分でした。

　文科省の『放射線副読本』には「実施した内部被曝検査の
結果によれば、検査を受けた全員が健康に影響を及ぶ数値では
なかった」と記されています。

　しかし、2011 年 3 月に実施された子ども対象の甲状腺の被
ばく線量のスクリーニング検査の対象はわずか 1080 人でした。
さらに検査自体も汚染された衣服の上から測定し、甲状腺の測
定値から汚染された衣服の測定値を差し引くというずさんな方
法が採られていました。

　そのために甲状腺被ばく線量がマイナスになる子どももい
ました。

(5)　福島県以外でも甲状腺がんが多発している

　茨城県北茨城市では、2015 年、4777 人の子どもの甲状腺検
査を行った結果、3 人の甲状腺がん患者が発見されました。試
料数が少なく統計的な問題はありますが、100 万人当たりにす
ると 630 人になります。先述の通り、全国の平均は 100 万人
当たり 2.1 人です。

　宮城県丸森町でも、2015 年 7 月から 2016 年 4 月に 1564 人
の甲状腺検査を行った結果、2 人の甲状腺がん患者が見つかり
ました。100 万人当たりにすると 1280 人です。

　チェルノブイリでは、甲状腺がんを発症した患者の半数は

甲状腺被ばく線量が100ミリシーベルト未満でした。低線量の被ばくでも甲状腺がんになるのです。

　当然ですが、放射能は県境を超えて広がります。福島県外の汚染地域でも甲状腺検査が求められています。

4　福島などで甲状腺がん以外の病気や死産も増加

(1)　福島などでは死産が増えていた

　文科省の『放射線副読本』には「先天性異常などの発生率は差がなかった」という記述があります。本当でしょうか？

　ハーゲン・シュアブ、森国悦、林敬次ら（2017）の報告によれば、福島原発事故の10カ月経過後より、汚染度に応じて、周産期死亡（妊娠満22週以後の死産に生後7日未満の死亡を加えたもの）が福島県と近隣5県（岩手県、宮城県、茨城県、栃木県、群馬県）で15.6％も上昇し、被ばく線量が中間的な千葉県、東京都、埼玉県でも6.8％上昇しています。これらの地域を除く全国では上昇していませんでした。

　この研究は厚生労働省の「人口動態統計」を用いたもので、統計上有意な上昇であると評価されています。

(2)　心臓疾患など様々な病気も増えている

　広島・長崎の被爆者やチェルノブイリ原発事故では、甲状腺がん以外にも、白血病、乳がん、小児がんなどが増えました。心臓の病気など内臓のさまざまな病気も増えています。

　福島原発事故後の福島県では、心臓病による死亡が増加し

ています（明石昇二郎、2014）。双葉町では、「頭痛、めまい、鼻血、疲れやすい、高血圧、脳卒中、循環器障害、呼吸器障害、心の病なども増加している」と報告されています（中地重晴、2013）。

　今後は、甲状腺検査を大人にも拡大し、さらに、がんや白血病だけではなく様々な放射線に起因する疾病に対し、包括的な健康調査を早急に行うことが求められています。

5　「放射線管理区域」に住まわされる子供たち

⑴　年間 20 ミリシーベルトは全く安全・安心ではない

　福島では、年間 20 ミリシーベルト以下と想定される地域で住民の「帰還」が進められています。この 20 ミリシーベルトというのはどの程度の線量なのでしょうか。

　ICRP[4]（国際放射線防護委員会）は 1990 年勧告で「一般人の被ばく線量限度は年間 1 ミリシーベルト」と定めています。1 ミリシーベルト以上は危険な線量であると認めているのです。

4　ICRP は核開発や原発推進の政府や軍需原発関連の民間企業が構成する民間組織。核開発や原発推進を前提に放射線防護基準値などを提言しており、基準が甘いと批判されています。

さらに ICRP のリスク評価によれば、年間 20 ミリシーベルトのがん死者のリスクは、1 万人に 10 人。より厳しい評価をしているゴフマン博士のリスク評価ではその 8 倍になります。更に、居住年数が長くなればそれに比例してがん死のリスクも多くなります。10 年間住めば 10 倍になるのです。

　ICRP の評価でも年間 1000 人に 1 人。10 年住めば 100 人に 1 人。この、100 人に 1 人というような集団的リスクは、判断を間違いやすくします。「100 人中、たったひとり」と思ってしまうからです。

　しかし、考えてみてください。もしも、全校生徒 1000 人の学校で、その学校固有の理由でその中の 10 人が毎年必ずがんで死亡する、というような学校があったら、自分の子どもを入学させるでしょうか。100 回のフライトにつき、1 回は墜落する飛行機にあなたは乗りますか?

(2)　年間 20 ミリシーベルトは「放射線管理区域」を上回る
　放射線管理区域というのは原発や病院、研究所など放射性物質や放射線を扱う人々が働く区域のことです。

　身近なところでは、病院やレントゲン車で、レントゲン技師さんから「はい、息を止めて」と言われるあのエリアです。高線量になるので、撮影の時には技師さんは外に出て、必ず防護扉を閉めますよね。

　法的には 3 カ月について 1.3 ミリシーベルトを超えるおそれのある区域と規定されており、これを換算すると 1 時間当たりでは 0.59 マイクロシーベルト、年間で 5.2 ミリシーベルトに

なります。

　放射線管理区域では水も食事も摂ってはいけません。寝てもいけません。タバコもダメです。労働基準法では18歳未満の人は、管理区域での作業が禁止されています。

　チェルノブイリ原発事故では年間5ミリシーベルト以上の区域は避難地域とされました。年間5.2ミリシーベルトを超える区域は人が生活してはいけない区域なのです。

　しかし、福島では年間で5.2ミリシーベルト以上の区域に子どもたちが生活することを許容しており、さらには推進すらしています。

　なお、この「年間20ミリシーベルト」の持つ意味合いについては、事故直後と現在ではその意味合いが異なることにも注意が必要です。

　福島原発事故ではセシウム134とセシウム137がほぼ等量放出されました。半減期2年のセシウム134の減衰に伴い、事故直後は空間線量が急激に下がります。したがって、事故直後に20ミリあった地域はその後比較的速い速度で20ミリを下回っていきます。

　しかし、事故後8年を経た現在では、セシウム134はすでに1/16に減少しており、セシウム137が中心になってきています。

　セシウム137の半減期は30年ですから、これまでのような急激な低下は期待できません。

　現在、年間20ミリの地域に暮らした場合、それに近い線量を長期にわたって受け続けることになるのです。

写真1　放射能汚染で手つかずの津波被災地

福島県楢葉町　（撮影：後藤康彦　2013年5月）

6　原発事故は村を破壊し差別と分断をもたらした

(1)　こわされた村の生活とコミュニティ

　今までは何事もなく暮らしていた地域が原発事故の放射能により汚染され、そこに住むことができなくなりました。

　福島では放射能の半分以上が海に排出されたこともあり、強制避難区域はチェルノブイリに比べると狭くなっています。一方、人口密度が高いために、ピーク時には16万4000人もの人が避難を余儀なくされました。なお、チェルノブイリの強制避難者数は20万人と言われています。

　避難した県民は慣れない土地の仮設住宅などに住み、作物も果実も栽培できず、家畜も飼えません。春秋に楽しみにして

コラム　切り捨てられる自主避難民

　福島県の避難者は約 10 万人（2015 年 12 月 28 日現在）、自主避難者は 3 万 6000 人（朝日新聞 2015 年 5 月 17 日）でした。政府は浪江町、富岡町、飯舘村、川俣村の 4 町村の「居住制限区域」（2 万 3000 人）、「避難指示解除準備区域」（3 万 1800 人）を 2017 年 4 月 1 日に解除しました。

　残りは「帰還困難区域」のみとなります。自主避難者は避難解除になると災害救助法に基づき国と福島県から支給されてきた賃貸住宅費用が打ち切られます。自主避難者は「被ばくか貧困か」の困難な決断を迫られたのです。1 年後になっても 4 町村では、全体で6.1% しか帰還していません。

　きた山菜やきのこは今も採れません。自然と共に有機農業を営んできた農家は最も大きな被害を受けてしまいました。多くの住民が避難し、村の共同体は崩壊し、家族もばらばらになりました。

⑵　避難指示の解除に伴う強制的な帰還は間違っている

　2017 年 4 月 1 日、「居住制限区域」と「避難指示解除準備区域」が解除され、住民は故郷へ戻ることができるようになりました。これは、強制避難の対象地域が「年間 20 ミリシーベル

ト以上」を基準としており、これらの地域が20ミリシーベルトを下回ったからです。

　強制避難は、個人の財産権を奪う公権力の発動です。「あなたの家だけれども、そこから出ていけ」と国家が命令する行為です。したがって、個人の財産権を上回る、切迫した重要な理由がなくてはなりません。それが、年間20ミリシーベルトでした。

　法の主旨はそのようなものですから、20ミリシーベルト以下になり、避難指示が解除されるということの意味は、「帰っても国家としては許容する」ということです。決して「安全であるという保障」でも「帰れ」ということでもありません。実際、帰還先は高線量区域です。リスクは一方的に住民に帰せられるのです。

　こう考えれば、東電や国が「帰らない、帰れない」人に対して補償を続けることも、事故を起こした責任上当然のことなのです。

　問題は、国の「避難指示の解除」の決定が、実質的には「帰れ」という政策になっている点です。この間、避難指示の解除に伴って、避難生活を支える補償や、自主避難者の家賃補助を打ち切るなど、実質的に避難生活を困難にする政策が採られてきました。

　戻りたくない人に対しても、無理やり戻れという政策になっているのです。

　福島では「20ミリシーベルト以下は安全・安心」というキャンペーンが行われています。戻りたくない人が「わがまま」

なのであり、だからあとは「自己責任」なのだという世論形成が行われているのです。

　今まで住んでいた故郷の家に帰りたくない人はいません。仮設住宅で健康を害し、高いストレスから早く家に帰りたいという高齢者もたくさんおられます。そういう場合に、仮設に住み続けるのか帰還するのかは、個人の生き方の問題です。高線量地域のリスクはあるにせよ、一方で「自宅」に住みたいという気持ちも当然のことです。

　しかし、このような高線量の所に、帰りたくても帰れない、ということも理解されねばなりません。とりわけ、成長期の子供がいる家庭が帰ることをためらうのは当然のことです。

　事故により故郷を追われた人々に対し、さらなる追い打ちをかけるような現在の「強制帰還政策」は間違っていると言わざるをえません。

　(3)　**原発の事故が生み出す差別と分断を乗り越えて**

　原発は建設の時から、賛成派と反対派に分断し、事故が起こると福島県とそれ以外の県を分断し、福島県内でも「避難区域」と「それ以外の区域」に分断し、避難できる家族とできない家族の格差を生じさせました。

　さらに、自主避難者と居住者を分断し、避難区域が解除されると帰りたい人と帰りたくない人に分断し、子供は住めない、住まわせたくないために分かれて住まざるを得ない家族も生み出しました。

　放射能は自然環境だけでなくそこに住む人々の生活を破壊

し、今まであった村落共同体を崩壊させたのです。その結果、故郷を失い、体調を崩し、放射能の危険性が心を重くし、原発関連死も多数発生しました。

　放射能は空気や土壌や水や生物だけでなく地域全体を汚染し、生活を一変させられた人々の心を切り裂き、故郷に帰った人も帰らなかった人も苦しめています。

　しかし、その様な環境にあっても人々は懸命に生きています。そして、家族の生活を必死で再建しようとしています。

　私たちはそのような人々と共に国民の生活を守らない国や県の姿勢を変えさせ、人権と生活を守るためにどのようなことが出来るか考えていかなくてはなりません。

コラム　「風評被害」ということば

　国や福島県は福島第一原発事故の対策として「風評被害」の否定に全力を注いでいます。確かに福島の産物を全否定することは誤りです。しかし、本当に福島の産物は安全で被害は出ていないのでしょうか。

　問題は、政府の言っていることは本当に信用できるのか？という点に尽きます。

　すでに見てきたように、政府は「子どもたちの甲状腺がんは放射線の影響ではない」として、放射線管理区域以上の汚染地域に住民を帰還させる、8000ベクレル/kg以下の汚染土を再利用の名のもとにばらまく、トリチウム汚染水を海洋投棄する計画などの無謀な政策を行っています。野生の山菜やきのこの調査でも基準を超える調査をしないような恣意的なサンプリングを行っています。子どもの甲状腺スクリーニング検査も放射能の影響を無視する非科学的なひどいものです。

　これらを見ていれば、県や政府の言うことを信用することは難しいと言わざるを得ません。このような恣意的な政策を続けていれば将来に必ず実害を生じます。

　国民は、「本当に風評なの？」と政府を疑っているのです。それらのごまかしを止めることが国民を納得させて風評被害をなくす一番の近道です。

第4章　労働者の被ばくの上に成り立つ原発

　福島原発事故では、事故後の緊急・収束作業の中で多くの労働者が被ばくしており、それによるがんや白血病が発生しています。

　これまでに甲状腺がんで2人、白血病で3人、肺がんで1人、合計6人の方が労災認定[1]され、うち1人が亡くなられています。労災認定はハードルが高いため[2]申請ができないケースや、申請はしたものの認定されずに苦しんでおられる労働者もたくさんいます。

1　労災保険は、会社が全額保険料を負担し、アルバイトを含む全社員が対象の公的傷害保険制度です。仕事中または通勤中の負傷・疾病・障害・死亡などに対して厚生労働省が療養給付、休業給付、遺族給付などの労災保険給付を行いますが、支給を受けるためには労働基準監督署に書類を提出し労務災害として認定される必要があります。これを労災認定と言います。会社は労災の申請を嫌がることがしばしばあります。そのケガや死亡の原因が会社側にある、と公的に認定されることになるからです。

2　厚生労働省の労災認定基準の線量基準値は白血病が年間5ミリシーベルト以上、悪性リンパ腫が年間25ミリシーベルト以上、多発性骨髄腫が積算50ミリシーベルト以上、その他のがんは積算100ミリシーベルト以上です。この基準に達しないとそれだけで認定されません。

　米国では「トモダチ作戦」に参加した米軍兵士 9 名が死亡し、400 名以上が裁判に訴えています。しかし、日本では事故対応を行って被ばくした自衛官や消防士などの健康被害も判っていません。

　今後も、廃炉に向けた作業の過程で、多くの労働者が被ばくさせられることになります。

　実は、原発は事故以前から日常的に被ばく労働者を生み出してきました。労働者の犠牲の上に原発は成り立っているのです。この様な、働く人の人権を無視した原発に私たちの未来を託すことはできません。

1　原発は被ばく労働者を生み出します

⑴　福島原発事故による白血病とがん

　福島第一原発では、事故の処理にあたられた以下の方々がこれまでに労災認定されています（2019 年 6 月現在）。

①　A さん（40 代　原発作業員　白血病）

　　2011 年から複数の原発で作業。事故後は、原子炉建屋の覆いの建設などに従事。2014 年 1 月に急性白血病と診断され、2015 年 10 月に労災認定。

　　総被ばく線量は 19.8 ミリシーベルト、そのうち事故後に 15.7 ミリシーベルトを被ばく。

②　B さん（50 代　原発作業員　白血病）

　　2011 年から 15 年まで、福島第一原発でがれき撤去や汚

染水の処理機械の修理作業に従事。2015年1月に慢性白血病と診断され、2016年8月に労災認定。

　総被ばく線量は54.4ミリシーベルト。

③　Cさん（40代　東電社員　甲状腺がん）

　1992年から放射線業務に従事し、事故後は原子炉水位計の確認や給油など緊急作業に従事。14年4月に甲状腺がんと診断され、2016年12月に労災認定。

　総被ばく線量は150ミリシーベルト、そのうち事故後に139ミリシーベルトを被ばく。

④　Dさん（40代　東電社員　白血病）

　1994年から福島第一原発で働き、事故後は原子炉格納容器への注水作業や津波被害の確認など緊急作業に従事。2016年2月に白血病と診断され、2017年12月に労災認定。

　総被ばく線量は99ミリシーベルト、そのうち事故後に96ミリシーベルトを被ばく。

⑤　Eさん（50代　協力会社社員　肺がん）

　1980年から複数の原発で放射線管理の業務に従事。事故後は除染作業の現場の放射線量測定や除染作業のモニタリングに従事。2016年2月に肺がんで死亡し、2018年8月31日に労災認定。

　総被ばく線量は195ミリシーベルト、そのうち事故後に74ミリシーベルトを被ばく。

⑥　Fさん（50代　協力会社社員　甲状腺がん）

　事故後、電源復旧工事などの緊急作業に従事。2017年3月に甲状腺がんと診断され、2018年12月10日に労災

認定。総被ばく線量は 108 ミリシーベルト、そのうち事故後に 100 ミリシーベルトを被ばく。なおこのうち 37 ミリシーベルトは内部被ばくでした（以上、「被ばく労働を考えるネットワーク 2018」より）。

(2)　福島原発事故で急増した労働者の被ばく

「集団被ばく線量」とは、ある人間集団が全体としてどの程度被ばくをしたかを表す量です。

がんは、ある個人の発症原因は特定できませんが、集団としてとらえることにより被ばくとの関係が疫学的に明確になります。がんの発症確率は被ばく線量に比例して増大するため、集団被ばく線量が増えれば、その集団内の発がんも増加することになるのです。

「集団被ばく線量」は、「人・シーベルト」という単位で表します。1 万人が 1 シーベルト被ばくすると 1 万人・シーベルト。10 万人が 0.1 シーベルトずつ被ばくしても 1 万人・シーベルトです。つまり、集団被ばく線量は、被ばく線量の「延べ数」ということになります。

図 1 をご覧ください。事故以前、公式発表の福島第一原発の集団被ばく線量は年間で約 15 人・シーベルト程度でした。もちろんこれはこれで大変問題のある数値です。

しかし、事故後、3 月 11 日から 3 月末までの 20 日間の被ばくにより、2010 年度は 115 人・シーベルトと一気に 7 倍に急増しています。さらに、2011 年度は 180 人・シーベルトに増加しました。

次に、これによってどの程度の人ががんで死亡するのか、試算してみます。

　2012年度の集団被ばく線量180人・シーベルトを例にとると、ICRPの基準では9人、ゴフマン博士[3]の基準では72人ががんで死亡する計算になります（第5章参照）。

　2012年度1年間の被ばくだけでも、確率的にはこれだけの人ががんで死亡する計算になるのです。事故後8年間の累積を考えれば、当然この人数は増えることになります。

　過小評価と批判されることのあるICRPの基準を使っても、実際に労災認定された方以外にこれだけのがん死亡リスクが発生しています。

　ちなみに、1970年から2017年までの原発の労働者の公式の集団被ばく線量の総量は約4200人・シーベルトになります。

(3)　福島第一原発事故では運転員も被ばくした

　もう一度、図1を見てください。事故前の期間、あるいは事故後であっても2012年以降は、被ばくした労働者の大半が「下請け」であることがわかります。被ばくしやすい「ダーティ」な業務を下請けに頼っているのです。

　しかし同時に、事故直後の2年間は、通常はほとんど被ばくしない東電社員の被ばく線量も大幅に増えていることが読み

3　核物理学者、カリフォルニア大学医学部教授。米国原子力委員会の依頼で放射線の疫学的調査を行い、原子力委員会の意に反して微量放射線の影響を明らかにしたために、研究費を打ち切られ、リバモア研究所を辞職。1971年「放射線による発癌の疫学的研究」を発表。第5章4参照。

図1　福島第一原発の労働者総被ばく線量の推移

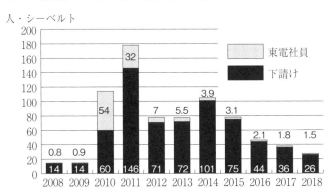

取れます。事故により中央制御室や免振重要棟の放射線量も上昇し、緊急に事故対処するために原発を運転している人々も大量に被ばくしたのです。原発の重大事故が起こると職種を問わず労働者の被ばくなしには何も事故対処ができません。

　福島原発事故が進行中の 2011 年 3 月 14 日、2 号機格納容器の圧力が上昇し、打つ手がなくなる事態に至ったことがありました。この際、東電の運転員には生命に及ぶほどの大量被ばくも予想されたことから一時的な退避が行われました。

　この時の退避の是非については今でも議論がありますが、端的に言って国家的な破滅を防ごうとすれば、このような退避は許さない、命を懸けて事故対応を行え、ということになります。これは美談でも何でもありません。原発とは、そのような事態も考慮しなくてはならない電源なのです。

図2　福島第一原発を除いた商業炉の労働者総被ばく線量の推移

福島原発事故後は運転を停止した原発が多いために労働者の被ばく線量は大幅に減少した。

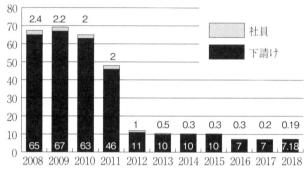

(4)　原発が止まれば被ばくは激減する

　次は、図2を見てください。これは、「福島第一を除く全商業炉の総被ばく線量」の推移です。原発で働く労働者は事故がなくても定期検査時の作業などで被ばくします。

　2008 〜 2010 年の福島第一原発を除く全国の原発労働者の集団被ばく線量は年間 60 〜 70 人・シーベルトでした。これに対し、ほとんどの原発が停止した 2012 年度以降は約 10 人・シーベルトに低下し、労働者の被ばく線量は大幅に減っています。

　原発の運転をやめるだけで、労働者の総被ばく線量は劇的に減少するのです。当たり前のことのようですが、事故がなくとも、普段から原発の運転は労働者の大量の被ばくなしにはできないことがわかります。

2　原発で働く人々の安全が第一

(1)　横行する被ばく隠し——ずさんな放射線管理

　以前から、原発の労働現場では、データとして表に出る被ばく線量を抑えるために「本来は携帯しなくてはいけない線量計を持ち込まない」「線量計の周囲に鉛の遮蔽物を入れる」など、意図的な被ばく線量隠し、ずさんな被ばく線量管理が横行していました。

　さらに胸部に付ける個人線量計は背中側からの放射線をほとんど検出できないために、実際の外部被ばくの68%しか測定されません。また、内部被ばくについてはどの位被ばくしたかもわかりません。

　現場の放射線管理がずさんなことはマスコミでもたびたび報道されており、公表されている労働者の被ばく線量が、実際よりもかなり低めに出ていることはもはや周知の事実といっていいでしょう。

(2)　放射線による労働災害の狭すぎる門

　原発等の放射線管理区域内で働く労働者は「放射線業務従事者」として登録されます。2019年3月現在、約66万5000人いる登録者の中で、放射線被ばくにより労災認定されたのは僅か22名に過ぎません。その原因の一つは、厚生労働省の労災認定基準の線量値が厳しすぎることにあります。

　放射線による労災の典型的な病状は「がん」ですが、がんは、

原因と結果の因果関係が一対一で特定できません。Aさんががんになったとき、それが「タバコを吸ったため」なのか「放射線被ばくのため」なのか、因果関係は確定できないのです。一方、ある線量を浴びれば、がんになる人は確実に増加します。

このような事情があるため、放射線による労災は労働現場で「ある線量」以上を被ばくした時に認定する、ということになっていますが、この基準が高く設定（80頁注2参照）されているのです。

一方、先に述べた通り、ずさんな放射線量管理の結果、多くの労働者が放射線管理手帳に記録された線量以上に被ばくしている現実があります。また、会社、特に原発の関連会社では労災の申請を嫌がり、申請もなかなかできない実態があります。

被ばく線量を現実より少なく記録し、同時に労災の申請を抑制しつつ、さらに認定基準に高いハードルを設定した結果が、先ほどの労災認定22人という数字です。

(3) 原発事故処理にあたる労働者に安全と人権を

チェルノブイリ原発事故後のソ連では事故処理の被ばく労働者は公務員扱いとなり、医療や年金などが保証されていました。もちろん、これにも問題はありますが、日本では原発で働く多くの被ばく労働者は被ばく線量限度を超えると使い捨てにされています。

2011年、福島原発事故直後の収束作業に従事した労働者は2万人と言われています。「緊急作業従事者」と呼ばれ、先に述べた「作業の期間中上限250ミリシーベルト」という過酷な

条件の中で働いた人々です。この中には 250 ミリシーベルトを超えた方も 6 人おられます。

　政府は放射線影響研究所に委託し、この 2 万人の人々の健康調査を継続するとしていましたが、事故後 7 年を経た 2018 年時点で、検査を受けた労働者が全体の 35% 足らずであったことが報道されています。原発は、これを運転することで被ばく労働者を生み出し、いったん事故があると、さらに使い捨ての被ばく労働者を大量に生み出しているのです。

　原発事故の処理にあたっては、「収束を急ぐ」ことが労働者の被ばくを増やす結果をもたらします。無理な作業を重ねることになるからです。これに対し、処理に時間をかけることは周到な準備を可能とするのみならず、放射能の半減期の観点からも被ばく線量の軽減に寄与します。

　事故からの復旧、平常化宣言を優先し、無理な作業工程を組むことは労働者の被ばくを増やす方向に働くのです。

　福島原発事故処理は、急ぐべきではありません。まず働く人々の被ばく線量を減らすこと、さらには人権と社会保障の確保が優先的に求められます。

3　原発労働者に犠牲を強いる ICRP と日本政府

(1)　ICRP は「一般人は引き下げ、労働者は引き上げ」

　ICRP は 1985 年パリ声明を出し、一般人の被ばく線量限度を年間 5 ミリシーベルトから 1 ミリシーベルトに引き下げました。これは、微量放射線の危険性に対応するための措置でした。

一方、チェルノブイリでの事故処理の教訓から、2007年勧告では労働者の緊急作業時の被ばく線量限度は100ミリシーベルトから500ミリシーベルトに引き上げ、さらに、救命活動時の被ばく線量は無制限にしました。

　このことは「原発事故に対しては労働者の被ばく線量を大幅に引き上げないと対応できない」という非人間的な現実をICRPが認めたと言うことです。裏を返せば、何としても原発の利用を維持していきたいというICRPの立場を良く表しているともいえます。

(2)　日本も事故後に労働者の被ばく限度を引き上げた

　日本では法律により、原発で働く労働者の被ばく線量は「5年間で100ミリシーベルトを越えず、かつ1年間に50ミリシーベルトを超えてはならない」と定められていました。しかし、福島原発事故後、政府は2011年3月から12月16日まで緊急時の最大被ばく限度の上限を特例として250ミリシーベルトに引き上げました。

　さらに、2016年4月には法律を改悪し、職業人の緊急作業の被ばく線量を恒常的に「5年間で250ミリシーベルト」に引き上げています。これにより、労働者は原発事故の時に労災認定基準を大幅に上回る被ばくを強いられることになります。

　原発で働く労働者の過酷な状態は今後も続いていきます。

コラム　多重下請けというピンハネの構造

焼け太りの元請と、使い捨てにされる労働者

　建設やITには多重下請けという業界の構造があります。もともとは、建物の建設を請け負った業者が「コンクリート打設」「電気工事」「水道工事」などそれぞれ専門の下請け業者に仕事を外注していく中で生まれました。この下請けが、2次、3次と次々に連なっていくのが多重下請けです。建設業界では、5次、6次まで連なることもあります。

　この多重下請けは、実は労賃のピンハネには絶好の下地となります。事故の収束作業に従事した労働者が起こした裁判で、次のような実例が明らかになっています。金額は、1人1日当たりの労賃です。高リスクの作業ですから、危険手当が含まれます。

　①　元請　鹿島建設　　→　1次下請け　43000円
　②　1次下請け　　　　→　2次下請け　25000円
　③　2次下請け　　　　→　3次下請け　17000円
　④　3次下請け　　　　→　労働者本人　11500円

　なお、東電は元請に対して1人当たり日当10万円程度を支出していました。これが多重下請けを経由する中で、労働者には1万円余しか渡らなかったのです。すさまじいピンハネと言わざるを得ません。

　除染作業についても国が税金から危険手当として1日最大1万円が支出されていますが、作業員には知らされていないケースがありました。また、本来雇用主負担の健康診断費用や講習代金、作業機械代を作業員に自己負担させるなど、福島の作業現場では労働法令違反が多発しています。（木村壮　2015）

『原子力発電を考える』都高教、1985年

第5章　放射線は危ない

　放射線は生物や細胞を殺したり傷つけたりします。微量の放射線もヒトの細胞を傷つけます。放射線によるがんなどの影響には、これ以下なら安全という「しきい値」はないとICRPも考えています。微量の放射線もがんを発生させ、がん死させるのですが、確率が低いと他の要因に隠れて検出が難しくなります。

　しかし、いくつもの疫学調査でも微量の放射線によりがんが増加する事例、例えば年間1ミリシーベルトの自然放射線でもがんを増やすという結果が出ています。

　一方、文科省の『放射線副読本』には、放射線の怖さについてほとんど書かれていません。100ミリシーベルト以下の放射線（低線量放射線）の影響についても記述がなく、むしろ自然放射線や医療による被ばくと並列することで、子どもたちに低線量放射線は危険ではないという印象を与えようとしているように見えます。残念なことですが、放射線の本当の怖さを科学的に伝える内容にはなっていません。(コラム参照)

1　ヒトにも危険な放射線

⑴　放射線はどのように生物にダメージを与えるのか

　ここでは、放射線がどのように生物に影響を与えるのか整理しておきたいと思います。

①　放射線は生物の細胞を傷つけます。具体的には、遺伝子である DNA などを直接切断すると同時に、細胞内の水を分解して化学反応する力が強い活性酸素などを生じさせ、それが DNA、RNA、たんぱく質、リン脂質など大切な分子を変化させます。このように、直接的、間接的に、細胞を傷つけ、がんなどを引き起こします。

②　放射線の生物への影響には、被ばく後に比較的早期に起きる脱毛、出血、死亡（10 シーベルトで全員死亡）などの急性障害と、一定期間の経過後に発生するがんなどの晩発性障害とがあります。どちらも DNA の切断や活性酸素などによる核酸やたんぱく質など重要な分子の破壊により起こります。

③　急性障害は一定線量以上の被ばくによって発症する確定的影響であり、被ばくと発症との間の因果関係がはっきりしています。これ以下では発症しないという「しきい値」も存在します。

④　晩発性障害は確率的影響で、ある個人の発症について被ばくとの直接的な因果関係は証明できません。集団的な

93

被ばくによりその集団内の発症率が有意に上昇すること
で、疫学的に証明されます。白内障を除くと「しきい値」
もないと考えられます。

⑤ 100ミリシーベルト以下の低線量放射線は、確定的障害
を確認することが困難です。晩発性障害への影響につい
ては、かなりの数の疫学的な証拠がありますが、未だ日
本政府は認めていません。また、ヒトに対する内部被ば
くの影響など判らない所もあります。

⑵ 放射線はがん以外の病気も引き起こす

広島・長崎原爆被爆者の生涯調査では心臓血管、呼吸器、
消化器、泌尿器などにがん以外の病気も線量に比例して増えて
います。1シーベルト当たり心臓の病気は約14％の割合で増え、
脳卒中は約9％増加しました。

チェルノブイリ事故でも心臓の先天性奇形などがん以外の
病気も起こっています。

第3章4にあるように、福島原発事故でも心臓・血管系疾
患や呼吸器疾患などにいろいろな病気の増加が見られます。

2 放射線はどのように細胞を壊すのか？

⑴ 放射線のエネルギーは分子から見ると巨大です

10シーベルトの被ばくでは、体温は0.0024度しか上昇しま
せん、そういう意味では非常に少ない熱エネルギーですが、ヒ
トは死亡します。なぜなのでしょうか？

コラム　ここが変だよ、副読本④

**「遺伝的影響を示す根拠はこれまで報告されていません」
という副読本の表現はミスリード**（副読本10ページ）

　これを読んでどう思われましたか。当然のことながら「放射線による遺伝的影響はない」と思われた方もいるでしょう。

　しかしよく読めば、ここで述べているのは、「原爆被爆者や小児がん治療者の研究」では「これまで報告されていない」ということに過ぎません。そして実際には、放射能による遺伝的影響を示す研究はたくさんあるのです。

　湾岸戦争の際には、参加した米軍兵士の子どもやイランの子どもたちに先天的な異常が増加しました。ウラン238を使用した劣化ウラン弾の破片粉末（α線を出す）の影響と考えられています。またユーゴスラビアでも劣化ウラン弾による染色体異常が報告されています。日本政府が往々にして依拠するICRPも遺伝的影響があるという見解をとっています。

　総体的な研究状況を踏まえ、かつ「分からない時は安全側に振る」という予防原則に従えば、遠慮がちに言っても「遺伝性の影響についても考慮されるべき」ということになるでしょう。あたかも「遺伝的影響はない」かのように読者をミスリードしていることは明らかです。

　それは細胞の分子を破壊するからです。

　落合栄一郎博士（元米国ジュニアータ大学教授）によれば10シーベルトの被ばくにより、細胞1個当たり（細胞1個あたりです！）γ線で約6万個、β線では約30万個の分子が破壊されます（落合栄一郎　2017）。現実の被ばくの場合、全身の細胞でこのような分子の破壊が起きることになるわけですから、死

亡するのも当然です。

100ミリシーベルトでも1細胞当たりγ線で約600個、β線では3000個の分子が破壊されると試算しています。分子レベルから見ると放射線のエネルギーは非常に巨大なのです。放射線のエネルギーは化学結合のエネルギー[1]の数万倍から100万倍にもなります。1本の放射線は数万から100万個の分子を破壊するほど大きなエネルギーを持っています。そのためにDNAの二本鎖を切断して突然変異を起こし、がんを引き起こします。

放射能（放射性物質）から放射される主な放射線にはα線（アルファ線）、β線（ベーター線）、γ線（ガンマ線）、中性子線があります。

(2) α線は内部被ばくが危ない

α線はヘリウムの原子核の流れで、プラス+の電荷を持ちます。空気中で数cm、生体内では40μm以下しか飛びません。α線のエネルギーは非常に大きく、化学結合の約100万倍です。

体内に入ったα線を放出する放射能は周囲40μmの細胞に巨大なエネルギーを与え、がんなどを引き起こします。プルトニウム239、ウラン235などはα線を放出します。

(3) β線は内部被ばくも外部ばくも危ない

β線は電子の流れで、マイナス−の電荷を持ちます。空気

1　化学結合を切断する時のエネルギー。化学結合のエネルギーは約5.7eV（電子ボルト）と放射線のエネルギーに比べて大変微量です。1eVは 3.83×10^{20} cal（カロリー）

図 1　α線は内部被ばくが問題

α線の飛距離は、空気中で 2 〜 3cm、生体内では 40μm。エネルギーは大きい。線源の周囲 40μm 以内の細胞は被ばくする。

図 2　β線は内部被ばくと外部被ばくの両方が問題

β線は外部被ばくでは体表面から 1cm 以内が、内部被ばくでは線源から 1cm 以内の細胞が被ばくする。

図 3　γ線は主に外部被ばくが問題

γ線の飛距離は空気中で 100m、生体内でも 1 m 程度。このため、生体を突き抜ける。主に体外から被ばくする外部被ばくが問題となる。

『原子力発電を考える』都高教、1985 年

中で 1 〜 2m、生体内では 1cm 以下しか飛びません。

　内部被ばくと外部被ばくの両方が問題になります。セシウム 134、セシウム 137、ストロンチウム 90、ヨウ素 131、トリチウムなどが放出します。体内に入った放射能から放出された β 線は周囲 1cm に全てのエネルギーを与え、周囲の細胞は被ばくします。

(4)　γ 線は主に外部被ばくが危ない

　γ 線は電磁波で高速の光子の流れであり、電荷はありません。空気中で約 100m、人体内では 1m も飛び、人体を突き抜けるために外部被ばくが主に問題になります。コバルト 60、ストロンチウム 89、セシウム 137 などが放出します。

(5)　中性子線は強力です

　中性子線はウランなどの核分裂反応により放出される高速の中性子の流れで、電荷はありません。外部被ばくが問題になります。極めて強い透過力を持つため、戦車の鋼鉄を透過して内部の人間を殺傷する中性子爆弾などというものが開発されています。福島原発事故でも事故対処の大きな障害になりました。

3　内部被ばくはより危険です

(1)　体内に取り込んだ放射能からは逃げられない

　α 線や β 線を放出する放射能が体内に取り込まれた時には内部被ばくが問題になります。α 線と β 線は全てのエネルギー

を周囲の細胞に与え、多数の分子を破壊することでがんなどを引き起こします。

　放射能の危険を避けるうえで「線源から距離をとること」は重要なポイントですが、内部被ばくの場合は必然的に線源（放射能）と身体組織の距離がきわめて近くなります。また逃げ出すこともできないため、被ばくする線量は必然的に多くなります。

　内部被ばくの線量はホールボディカウンターでその時点のγ線量を測定できます。しかし、身体を透過できないα線やβ線、さらに過去の線量を測定することはできません。

　生物に対する内部被ばくの影響については多くの不明な点があります。

(2)　生物は自然放射能に適応しながら進化してきた

　自然界にも放射能は存在します。

　飲食物として生物体内に取り込まれる自然放射能のカリウム40はイオンとして水に溶けた状態になり、特定の組織に集まらず、体全体に均一に分布し、速やかに排出されます。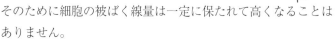
そのために細胞の被ばく線量は一定に保たれて高くなることはありません。

　気体として体内に取り込まれるラドンは不活性ガスであり、他の化合物と反応せずに肺に入って内部被ばくしますがそのまま排出されます。

　鉱物として多いウランやトリウムは植物の根からは吸収さ

れません。ウランなどの鉱物としての自然放射能はヒトが掘り出すまでは人間の環境に持ち込まれませんでした。

　自然放射能は、そもそも吸収されない、ただちに排出されるなど、現存する生物に蓄積しにくくなっています。これはなぜなのでしょうか。

　実は話は逆なのです。仮に、進化の過程で自然放射能を取り込み、蓄積する性質の生物が誕生したとしても、その生物は滅びてしまったのです。カリウムの様にどうしても必要な元素は体全体に広く分布させて折り合いをつけ適応してきたと考えられます。自然放射線も人工放射線も生物に対する影響は同じです。しかし、自然放射能を特定の組織・器官に蓄積しない生物、自然放射能と折り合いをつけてきた生物は子孫を残し生き続け、蓄積する生物は生き残れなかったと考えられます（市川定夫　2008）。

(3)　人工放射能は特定の組織、器官に集まる

　これに対し、人工放射能は初めて作り出されてからまだ100年足らずの歴史しか持っていません。地球上の生物にとっては初めて経験する物質です。とりわけ、ヨウ素131やトリチウムのように現存する生物の元素と同じ人工放射能（放射性同位体）が形成された場合、事態は深刻です。生物が人工放射能を放射能のない同じ元素と区別できず、生物体内に取り込んでしまうからです。

　さらに、その元素が人体の特定器官に集まっているような場合には、人工放射能も特定の器官に集まってしまいます。

図4　人工放射能は特定の組織器官に蓄積する

甲状腺にはヨウ素131など、骨髄にはストロンチウム90など、セシウムは生殖腺、肝臓、腎臓、心臓などに蓄積する。

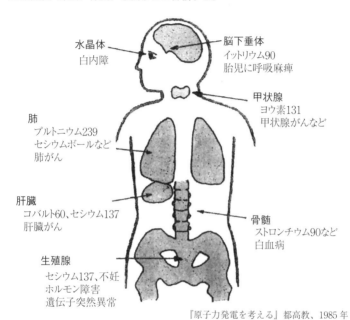

水晶体
白内障

脳下垂体
イットリウム90
胎児に呼吸麻痺

甲状腺
ヨウ素131
甲状腺がんなど

肺
プルトニウム239
セシウムボールなど
肺がん

肝臓
コバルト60、セシウム137
肝臓がん

骨髄
ストロンチウム90など
白血病

生殖腺
セシウム137、不妊
ホルモン障害
遺伝子突然異常

『原子力発電を考える』都高教、1985年

　例えば、人工放射能のヨウ素131は甲状腺に、ストロンチウム90は骨に、セシウム134、セシウム137は筋肉、腎臓、肝臓、生殖腺などに蓄積し、主として β 線による内部被ばくを引き起こします（図4参照）。

　ICRPは自然放射能のカリウム40と同じように人工放射能も体全体に平均して分布し、放射線が均一にあたるとしています。セシウムなどの人工放射能が特定の組織や器官に集まることを

考慮しないため、内部被ばくを軽視する結果を招いています。

(4) 食物連鎖により生物濃縮して内部被ばくする

　食物連鎖により生物濃縮する放射能もあります。

　ヨウ素には自然放射能は存在しません。大昔から植物はヨウ素を取り込んできました。しかし、ヒトが核分裂反応で人工放射能のヨウ素131を作り出すと、植物は自然に存在するヨウ素と区別できないため体内に取り込み、大気中から200万～1000万倍に濃縮します（市川定夫　2008）。さらに、この植物を食べたヒトなどの動物もヨウ素131を甲状腺に集めます。

　実際に、福島原発事故直後にはホウレンソウなどから高濃度のヨウ素131が検出されています。このホウレンソウを食べたヒトは甲状腺にヨウ素131を集めることになるのです。

　人工放射能のリン32についてのリチャードフォスター、J.Jデイビスの1956年の研究では、ハンフォード原子力施設の下流のコロンビア川の水から検出されたリン32が、プランクトンで2千倍、小魚で15万倍、アヒル4万倍、水鳥の卵150万倍というオーダーで食物連鎖の中で生体濃縮することがわかっています（Christian C.Young　2004）。

　この様に食物連鎖を通してヒトも動植物などの食料から人工放射能を取り込むのです。

(5) 不溶性セシウムボールは内部被ばくが怖い

　福島原発事故では、東京都や茨城県など関東各地から直径数 μm 以下の不溶性の放射性粒子であるセシウムボールが見

つかっています。このセシウムボールは水に溶けないために、肺などに吸着すると長い時間排出されません。セシウムボール以外にも多くの不溶性の放射性微粒子が検出されています。不溶性の 0.1μm 以下の放射性微粒子は細胞膜を通り、消化器官や皮膚から直接体内に、肺からは血液内に取り込まれ、ここでも内部被ばくを引き起こします。ECRR（欧州放射線リスク委員会）[2] は 2010 年勧告で不溶性の放射性微粒子は外部被ばくの 400 〜 5 万倍も危険であると報告しています。

　チェルノブイリ原発事故後にバンダジェフスキー[3]が明らかにしたように放射性セシウムは臓器に集まります。福島事故でもセシウムボールなどの不溶性の微小粒子による内部被ばくが大変心配されます。

(6)　ムラサキツユクサは内部被ばくを表す生物線量計

　1974 年、浜岡原発の試運転が始まった後に、風下の地点でムラサキツユクサの突然変異が増えるという事態が起きました。この時の、推定被ばく線量は年間 150 〜 300 ミリレム（1.5 〜 3 ミリシーベルト）になりました。しかし同時期の静岡県発表のモニタリングポストの測定値は 7.5 ミリレム（0.075 ミリシーベルト）に過ぎませんでした（市川定夫　2008）。

　これは、モニタリングポストが空間線量である γ 線の外部

2　欧州放射線リスク委員会。ベルギーに本部を置く市民団体で、この間一貫して、ICRP のリスク評価が過少という批判を行っています。
3　ベラルーシ共和国の医師。ゴメリ医科大学学長・病理学部長。政府の方針に反したために入試の賄賂容疑で逮捕され、禁固刑。チェルノブイリ事故の放射性セシウムの医学的影響を調査。死亡者の各臓器のセシウム量を測定した。

被ばくだけを測定するのに対し、ムラサキツユクサは外部被ば
くに加え、細胞内に取り込まれた放射能による内部被ばく線
量にも影響されたからだと考えられています。第5章3で示
したように、ムラサキツユクサはヨウ素131を空気中から数
百万倍も濃縮するのです。生物への放射能の影響には内部被ば
くが重要です。

　このように福島原発事故の内部被ばくには様々な問題や危
険性がありますが、文科省の『放射線副読本』では一切書かれ
ていません。

4　低線量放射線も無視できない

(1)　低線量放射線の影響をどう考えるか
　ここでは、放射線による晩発性障害について提案されてい
る4つのモデルを検討しておきます。違いは「低線量放射線」
の影響をどう考えるかという部分にあります。

① 　低線量放射線も線量に比例して悪影響があると考える
② 　低線量放射線は悪影響が無いと考える
③ 　低線量放射線はむしろ健康にいいと考える
④ 　低線量放射線の方がより危険と考える

　①はICRPや、アメリカ放射線防護測定審議会（NRCP）の
科学委員会他、多くの学者が支持する「直線しきい値なしモデ
ル」で、被ばく線量に比例してがん死者数が増えると考えます。

図 5　低線量放射線の被ばく線量と発がんリスク

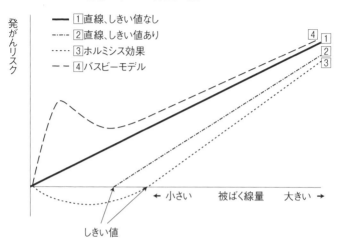

出典：医療問題研究会　2011

図 5 では実線①で表されています。多くの実験データがこれと矛盾しません。

　②は低線量の放射線の影響について、「しきい値」がある（図5の②）と考えるもので、「100 ミリシーベルト以下の放射線は安全である」という考え方です。日本の一部の「原子力ムラ」の学者などが支持していますが、ICRP を含め多くの学者が認めていません。

　③は、低線量の放射線は細胞を活性化しむしろ体に良いというもので、これも一部の学者が主張しています。「ホルミシス効果」（図5の③）と呼ばれ、「ラドン温泉」など放射能泉の効能の主張につながっています。しかし、逆にラドン温泉は肺が

んを増やすというデータもあります。原発推進の電力中央研究所もホルミシス効果を否定して研究を打ち切りました。

④はこの逆です。ECRR のバズビーは低線量放射線がより危険であるとする「バスビーモデル」(図5の④) を提唱しています。その根拠として放射線誘発バイスタンダー効果[4]、ペトカウ効果[5]、二項式効果[6]など様々な実験データが知られています。

ICRP をはじめ多くの科学者は「100 ミリシーベルト以下の低線量放射線にがんリスクがある」と考えています。どの程度の影響があるかは ICRP や ECRR など研究機関や研究者により異なり、科学的には確定していないというのが現状です。

このような場合、安全側に立って、「最も危険性が高いケース」を考えるべきでしょう。日本政府の様に「疫学的に検出できない」ことをもって「危険性がない」ことにする態度は誤りです。

(2) ICRP のがん死リスクは低すぎます

①ゴフマン博士は ICRP の 8 倍のリスクを提唱

晩発性障害のリスクは、確率的に評価されます。

4　1992 年 Nagasawa と LittLe が発見。低線量の放射線を直接照射された細胞だけでなく、隣接する非照射細胞にまでも、DNA 損傷、染色体異常、細胞分裂・増殖阻害、突然変異の誘発などの放射線の影響が観察される現象。
5　1972 年カナダのペトカウ博士が発見。長時間の低線量放射線被ばくの方が短時間の高線量放射線被ばくに比べ、総線量が同じでも、多くの生体膜組織を壊す現象。低線量放射線はがんを対数関数的に増加させるとしています。
6　バイノミナル効果。損傷と修復の効果が対抗して、低線量ではむしろ被ばくによる損傷が大きくなること。

表1　生涯のがん死者リスク評価

1万人・Sv 当たりのがん死者数

ICRP	500 人
ECRR	1000 人
ゴフマン博士	4000 人

　「1万人・シーベルト（人・Sv）の被ばくがあったときに、どれくらいがんによる死亡が増えるのか」というような形の評価になりますが、これについては ICRP が試算をしています。また、第5章1に登場したゴフマン博士や ECRR も独自の試算を行っています。いずれも試算の前提は「直線しきい値なしモデル」ですが、その結果には大きな違いがあります。

　集団被ばく線量1万人・シーベルト当たりのがん死者数は ICRP の 500 人に対してゴフマン博士は 4000 人。ICRP の 8 倍のリスク評価となっているのです（表1）。

　ICRP の低線量放射線のがん死リスクの計算の基礎である広島長崎の被爆者のデータは、爆心から 2.5km 以遠の被ばく線量をほぼゼロとし、それとの比較で被爆者のがん死リスクを計算しています。実際には存在する 2.5km 以遠の死の灰や黒い雨による外部被曝はもちろん、内部被ばくを全く考慮していないのです。

　さらに ICRP は、低線量の繰り返し被ばくの影響を1回のみの被ばく線量の 1/2 に下げ、さらに内部被ばくおよび若い人の危険性を過小評価しています。これらを総合すると、ICRP のがん死リスクは 1/10 程度の過小評価になっている疑いを免れません。日本政府はこの ICRP のがん死者リスクを採用して

います。

②毎年1ミリシーベルトの被ばくで1万人に33人がん死
―日本産業衛生学会
　日本産業衛生学会では1万人当たり1人のがん死亡を引き起こす放射線の線量を決めています。
　この線量は、18歳男性では0.9ミリシーベルト、18歳女性では0.7ミリシーベルトとされています。つまり18歳男性は0.9ミリシーベルトの1回の被ばくにより、がん死亡リスクが1万人に1人増えます。
　毎年被ばくする場合には、18歳から67歳の平均で男女共に50年間毎年1ミリシーベルトの被ばくにより1万人に33人がん死亡リスクが増えるとしています。これを先ほどの1万・シーベルトに換算すると、ECCRのがん死リスクとほぼ同じくらいの1111人ということになります。
　このように、産業衛生学会も低線量放射線の影響を前提に、がん死リスクはICRPの2倍以上になるという基準を設定しています。

(3)　疫学調査は語る――低線量放射線もがんを引き起こす

　低線量の放射線もがんを引き起こし、がん死を増加させることを示す多くの疫学的調査があります。なお、がん発生のリスクはがん死亡のリスクの約2倍と言われています。データを見る時にがん死かがん発生か注意する必要があります。
　①　15カ国の核施設労働者40数万人の調査では90%以上

が 50 ミリシーベルト（50 ミリグレイ）以下の被ばくでしたが、1 シーベルト（グレイ）[7]の被ばく換算により全がん死が 1.97 倍になります。さらに、1 シーベルトの被ばくにより白血病死は 2.93 倍になります（国際がん研究機関のカーディスら 2007 年）。この結果は ICRP のがん死リスクの 2 倍になります。

②　ロシアのマヤーク核施設付近のテチャ川流域住民約 3 万人の調査では平均被ばく線量 40 ミリシーベルトの被ばくでした。1 シーベルトの被ばく換算で固形がん死は 1.92 倍、白血病死は 7.5 倍になりました（Krestinina.L.Y et aL 2007）。

⑷　若い人ほど放射線はあぶない

　放射線の危険性は若い人ほど大きくなります。ICRP はこの点をあまり考慮していませんが、ゴフマン博士は年齢別のがん死者数を試算しています（図 6 参照）。これによれば放射線を浴びた 0 歳児の場合、30 歳の大人の約 4 倍もがんの死亡が多くなります。

　幼児、子どもなど若い人ほど細胞分裂が盛んであり、放射線に敏感になり危険性は大きくなります。また、幼児、子どもほど地表に近く被ばく線量も多くなり、土ほこりも吸い込みやすくなることから内部被ばくも多くなります。さらに、被ばく

7　グレイ。放射線が物質に吸収されるエネルギー量を表す単位、1 グレイは人体などの物質 1kg 当たり 1J（ジュール）の放射線を吸収すること。γ 線の外部被ばくでは 1 グレイ＝1 シーベルトになります。

図6　年齢別の放射線による10万人当たりのがん死リスク

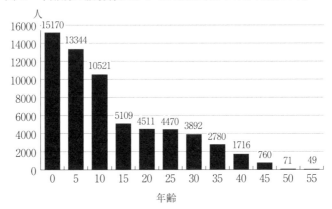

1万人・シーベルト当たりの生涯のがん死リスクは若い人ほど高くなる。

J.W ゴフマン　2011

後も長く生きるために大人よりリスクが大きくなります。

　このような事情は、子供に対する疫学調査で立証されています。たとえば、次のようなデータがあります。

① 　スイスの16歳未満の子どもの209万人の2015年発表の調査では自然放射線累積1ミリシーベルト（ミリグレイ）により全がんは2.8％増え、脳腫瘍などは4％も増加しました。1シーベルトに換算すると各々28倍、40倍の増加になります（Spycher et aL　2015年）。

② 　オーストラリアの20歳未満の子ども68万人の2013年発表の調査では1回のCT検査4.5ミリシーベルトでがんの発生が16％増えました。すなわち1シーベルト当

たりに換算すると 23 倍ものがん発生の増加になります（Matheus.J.D et aL　2013 年）。

　放射線の影響は年齢、人種、遺伝子など個人差が大きく影響します。このため、単に平均で見るのではなく、最も影響を受けやすい人々に合わせて考えることも大切です。

5　シーベルトは怪しい単位

　シーベルト（Sv）は放射線の人体への影響を表す単位です。ICRP は等価線量、実効線量さらには実用線量である空間線量率にも同じシーベルトという単位を用いています。複数の異なる概念に同じ単位を用いているため、この単位は混乱を招きます。

　また、以下に示すようにシーベルトという単位はベクレル（Bq）やグレイ（Gy）と異なり、物理的に定義されたものではありません。定義された単位に、いろいろな係数をかけているのです。この係数を決めているのは ICRP ですが、かなり恣意的、政治的な判断が行われています（名取晴彦 2013）。

　このため、内部被ばくを小さく見せるための人為的な単位であるという批判が絶えません。ここでは 3 つのシーベルトの概要を説明しておきます。

⑴　等価線量（Sv）
　等価線量（Sv）は各組織や臓器の局所的な被ばく線量を表す

コラム　ここが変だよ、副読本⑤

　副読本には、次のような記述があります。（副読本 10 ページ）

　100 ミリシーベルト以上の放射線を人体が受けた場合には、がんになるリスクが上昇するということが科学的に明らかになっています。しかし、その程度について、国立がん研究センターの公表している資料によれば、100 ～ 200 ミリシーベルトの放射線を受けた時のがん（固形がん）のリスクは 1.08 倍であり、これは 1 日に 110 グラムしか野菜を食べなかった時のリスク（1.08 倍）や高塩分の食品を食べ続けた時のリスク（1.11 ～ 1.15 倍）と同じ程度となっています。

　まず、「100 ミリ以上はリスクが証明されている」と述べ、一方で「100 ミリ以下」については何も触れていません。これにより、「100 ミリ以下は大丈夫」と誤読する人も出ることでしょう。本当は、「100 ミリ以下の影響は検出が難しいが、がんになる可能性は増加する。だから気を付けよう」と書くべきなのですが。

　記述そのものは必ずしも虚偽でなくとも、重要な点にあえて触れないことで誤読を招こうという意図が明確に感じられる部分です。

　また、野菜や塩分との対比も同様です。日常的な食材と放射線を並列することで、「たいしたことのないレベル」というイメージが形成されませんか？

　また、個人の努力で避けられる野菜不足や食塩の過剰摂取と、避けることが出来ない放射線被ばくを同列に論じることも大きな間違いです。100 ミリシーベルトの放射線を受けた場合、100 人ががんになっていた村では 108 人ががんになるのです。

線量です。異なる種類の（したがって異なる影響力を持つ）放射線をまとめて足し算し、被ばくの影響（主に発がん）を疫学的に評価するために便宜的に作られたもので、次の式で表します。

等価線量（Sv）＝吸収線量（Gy）×放射線加重係数

放射線加重係数は次のように定められています。

放射線の種類	放射線加重係数
α 線	20
β 線、γ 線	1
中性子線	$10 \sim 20$

簡単に言えば、β 線 γ 線の影響力は同等、α 線はその20倍の影響力があると評価しているわけです。しかし、この評価には問題があります。

β 線は線源から 1cm 以内の細胞にエネルギーを与え、その部分を集中的に被ばくさせます。これは、線源の周囲の組織に非常に大きな影響を与えることを意味しますが、これを、広い範囲の細胞を被ばくさせる γ 線と同等に評価しているのです。

また α 線は、β 線よりさらに狭い周囲 40μm の範囲の細胞にエネルギーを与える非常に破壊力の強い放射線です。しかしこれも、γ 線のわずか20倍にしか評価していません。

α 線も β 線も、特にそれが内部被ばくであった場合には組織に甚大なダメージを与えます。いったん放射性物質を体内に取り込んだ場合、そこから逃げ出すことも線源を遮蔽することもできないからです。

等価線量（Sv）の算定式は、このような特徴を持つ α 線と β

線による内部被ばくを過小評価していると言わざるを得ません。

(2) 実効線量（Sv）

実効線量（Sv）は内部被ばくと外部被ばくを合計して個人のがん死などのリスクの程度を表す線量です。

放射線の影響は臓器・組織ごとに異なるため、それぞれの等価線量に組織加重係数をかけてそれを合計したものとなります。数式としては、次のように表されます。

実効線量（Sv）＝Σ（各臓器の等価線量（Sv）×組織加重係数）
＊Σは（　）内の総和（＝合計値）を表します。

この式そのものがすでにおかしいことに気がつかれたでしょうか。Svに係数をかけて合計した単位がまたSvになっています。この段階で、同じシーベルトがすでに違うものを表しているのです。

また、ここで用いられている組織加重係数は決め方も根拠も不透明です。また、そもそも影響がよく分かっていない内部被ばくと外部被ばくを強引に合計することも無理があります。

なお、内部被ばくの実効線量は空気中や食物などから取り入れた放射能の摂取量（Bq）に実効線量換算係数を掛けて求めます。

実効線量（Sv）＝摂取量（Bq）×実効線量換算係数

　この実効線量換算係数は生物学的半減期（生物体内で排泄な
どの排出により、体内の放射能が半分に減る時間）と組織重量と放
射能の放出エネルギー量により決めています。

　生物学的半減期は個人差が大きく、人により 10 ～ 100 倍も
違います。組織の重量も個人差があります。ここでも ICRP は
不確実な係数を用いて内部被ばくの実効線量を決めているので
す。

　また、表 2 で示すように、ECRR の実効線量換算係数は
ICRP の 2 ～ 26 倍も大きくなっています。逆に言えば、ICRP
の内部被ばくの実効線量は ECRR に比べて大変小さくなって
いるのです。

表 2　実効線量換算係数

放射性元素	年齢	ICRP	ECRR
ヨウ素 131	成人	0.022	0.11
	児童	0.1	0.22
	乳幼児	0.18	0.55
セシウム 134 セシウム 137	成人	0.013	0.07
	児童	0.01	0.13
	乳幼児	0.012	0.32

出典：医療問題研究会編「低線量・内部被曝の危険性」耕文社

(3)　空間線量率（Sv/h）

　空間線量率（Sv/h）は実用線量の一つで、さらに恣意的です。
　モニタリングポストなどの空間線量計で物理的に測定でき
るのは吸収線量（Gy）です。空間線量率は、それを実効線量と
関連づけるために「地上 1m にある人体にみなした直径 30cm
の球体の表面から 1cm の深さの地点の 1 時間当たりの等価線

量」をヒトの実効線量とみなし、算出した人為的な値です。

　実際には、同じ場所でも人により被ばく線量は異なります。例えば、空間線量率は地上から1mの高さという定義になっていますが、これは大人の「へそ」あたりの高さです。当然、それより身長の低い子どもの被ばく線量はこれより多くなり、条件によってはこの数倍になると想定されます。

　モニタリングポストに表示されているのは、多くの人が考えているような「その地域の1時間当たりの空間の放射線量」ではありません。このような仮定上の計算を行った結果「人の実効線量と見なした数値」なのです。

　また、多くのモニタリングポストは周囲を除染してコンクリートで固めてあります。このため周囲と比べて線量が低くなり、地域を代表する数値になっていないという問題もあります。

(4)　やはりシーベルトはあやしい単位

　ここまで見てきたようにシーベルトという単位は様々な仮定の上で換算されて作られた便宜的なものです。このため、恣意的、政治的であることを免れていません。

　実際、被ばく線量を表すいろいろな場面でシーベルトは広く使われています。しかし、複数の異なる概念に対して用いられており、誤解や混乱を招いています。特に内部被ばくの危険性については、明らかな過小評価を招いています。

第6章　活動的な日本列島と原発は共存できない

　日本列島は、世界でも有数の、地震・火山活動が活発なところです。周囲を海に囲まれ、多様性のある自然に恵まれていますが、台風や集中豪雨など気象災害も多い国です。原子力発電所はこのような日本列島の自然条件の中で存在していけるのでしょうか、科学や工学の力で自然条件を克服できるのでしょうか。

　大きな自然災害にともなって原発事故が同時的に発生した場合、両方の影響が重なり合いつつ長期にわたって続くことは、福島の経験が物語っています。巨大地震の発生や、大規模な火山活動で大量の降灰や火砕流に襲われた場合、大規模な停電や都市機能のマヒが起きるでしょう。その中で原発だけが長期にわたって安全を確保し、制御し続けることはできません。

　多くの自然災害のリスクを抱える日本列島では、あらゆる可能性を想定しなければなりません。そのことは、逆説的にいえば、「安全を確保する原発の設計そのものが不可能である」

という現実を突き付けているのです。

1　日本列島の地質や水環境のリスク

(1)　日本列島の地質・地形は複雑で形成年代は比較的新しい

　日本列島は、多様な時代の地質がモザイク状に分布しています（図1）。同じ縮尺のヨーロッパと比べてみれば、その地質構造の複雑さは一目でわかります。日本列島の骨格を作る岩石は、大まかに大陸側から太平洋側に向かって新しくなっており、付加体[1]とよばれる堆積岩を、新しい時代の火成岩が貫いています。また、たくさんの活火山が分布していて、大陸のように何十億年も安定して存在する岩盤は存在しません。

　現在の平野や海岸線は、過去12万年（地球の年代では超最近）の氷河期の繰返し（氷期間氷期サイクル）の過程で形成された、比較的新しい地形や地質からできています。

(2)　地震のリスク

　日本列島で発生する地震は、大きく分けて、内陸の浅い（20kmより浅い）場所で起きる「内陸直下型」地震とプレートの沈み込みに伴って日本列島側がはねかえることによって起きる「海溝型（プレート間）」地震の2つのタイプがあります（図2）。日本列島では、過去120年間に、M6以上の地震が1300

1　海のプレートに乗って運ばれてきた遠洋性の堆積物（玄武岩やチャート、石灰岩など）と陸側から流されてきた堆積物（砂岩や泥岩など）が海溝付近で一緒になって、日本列島に押し付けられたもの

図1　日本の地質帯概略図

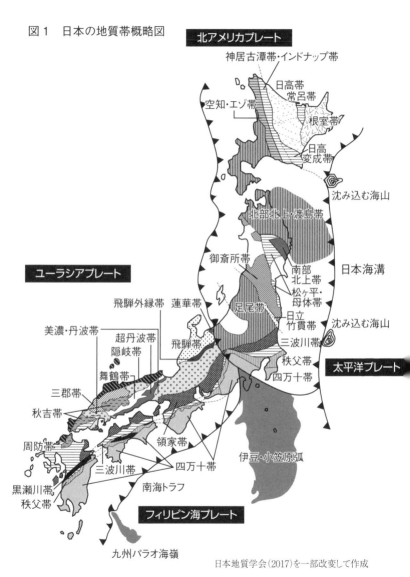

日本地質学会(2017)を一部改変して作成

回起きており、どこにいても、津波、液状化、斜面崩壊の危険性があります。M6を越える地震が原発直下で起きた場合は、炉心が大きく損傷する可能性が十分考えられます。

①内陸直下型地震と活断層

日本列島は、プレートの動きによって東西に圧縮される力を受けており、そのひずみを解放した活断層がたくさん分布します。

「内陸直下型地震」は、繰り返しずれた活断層を利用して発生する場合が多いといわれていますが、確認されている主要活断層以外の地域でも多数発生しているのが現実です。地震の発生後に調査し、新しい活断層が見つかることもあれば、見つからないこともあるのです。2018年に起きた北海道胆振東部地震のように、活断層が確認されていなくても内陸直下型地震は起きる可能性があります。活断層がないことがその場所の安全を保証することにはなりません。

なお、現在までに確認された活断層は、活断層研究会（1991）によれば2289を数えていますが、当然のことながら確認されていない断層（伏在断層）も多数あると考えられています。

②海溝型の地震

海溝型の地震は、数十年に1回の割合でM7〜8の地震が日本列島のどこかでおきており、数百〜1000年に1度は、M8〜9の超巨大地震が発生しています。西南日本の沖合にある南海トラフでは、今後30年以内に最大M9クラスの大きな地震

図2 日本列島とその周辺の地震活動

2014年10月から2016年9月までの2年間の震央分布。プレートの沈み込みに対応する地震と陸側で起きる浅い地震が特徴的。

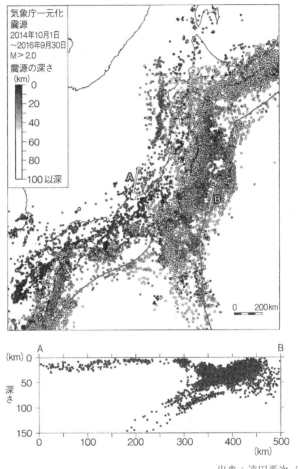

出典：遠田晋次　2016

が発生する可能性が指摘されています。

③繰返し地震と地震予知

　大きな地震が起きると、その後しばらく余震が続きます。

　2016 年に起きた熊本地震では、M6.5 の前震に続いて M7.3 の本震が起き、多くの犠牲者が出ました。一度目の地震で損傷を受けた場合、繰り返して起きた地震動でさらに被害が拡大することは、十分考えられます。

　なお、「地震が事前に分かれば対応できる」という議論もありますが、この点でいえば、中長期的に地震の可能性は予想できても、「いつどこでどのくらい」という直前予知はできないのが現状です。

⑶　火山噴火のリスク

　日本列島には 260 の火山が確認されており、活火山は 110 火山で、世界の 1/8 が集中する火山密集地域です。一旦噴火が起これば、溶岩流や火砕流、降灰、山体崩壊や岩屑なだれ、火山泥流など、周辺に多様な火山災害を引き起こします。

　日本列島で起きた噴火は過去 2000 年間で 400 回以上に及びます。破局的な被害をもたらす巨大噴火も過去 12 万年間に 21 回発生し、その平均周期は 5500 年となっています。

　前回の巨大噴火は 7300 年前の九州南方沖合にある喜界カルデラで起きたもので、降灰は日本列島全体に及び、九州の縄文文化を断絶させたことが知られています（図３）。このような噴火を現代文明は経験しておらず、破局的な噴火予知は全く進

コラム　設計用地震動のいいかげんさ

　原発の耐震設計に使われている「基準地震動」は、実は全くあてになりません。その理由は次の通りです。
① 　発生する地震の大きさを活断層の長さと過去の地震の大きさの相関関係から統計的に算出しているが、相関関係を示すグラフは過去最大の地震をカバーしていない。
② 　地震が起きた時の揺れが続く時間の想定が短い。東日本大震災のような3分以上続く揺れは想定外。
③ 　熊本地震のように、強い地震が短期間に続けて起きた場合も想定してない。
④ 　地層の湾曲によって、地震動が地表の建物に届くまでに増幅されることを想定していない。

　2007年の夏、東電柏崎刈羽原発を中越沖地震が襲った時、1～7号機で設計に使った数値をはるかに越える加速度が記録され、数千カ所が壊れました。
　そこで得られた新たな知見を活かすべく、2009年2月24日に原子力安全委員会、文部科学省、経済産業省原子力安全保安院が共催する「安全研究フォーラム2009」が開かれました。地震工学のトップクラスの専門家たちによるパネル討論のそこでの結論は次の通りでした。
① 　現在の基準地震動を越える地震が起きる可能性があり、その大きさは不明。
② 　そのような大地震が起きる確率は不明。

　そして、このフォーラムの2年後に東日本大震災が起きたのです。

図3 日本の巨大カルデラと活火山の分布

扇形に囲まれた所は巨大カルデラ噴火の降灰域を示す。ひとたび巨大噴火が起きると巨大火砕流が発生し、日本列島に壊滅的な影響が及ぶ。灰色部は巨大マグマだまりができる条件がある地域を示す。

出典：巽好幸（2016）をもとに一部改変して作成

んでいないのが現状です。巨大噴火が起きた場合は、火砕流が周辺の100km遠方まで走り、降灰は日本列島全体に及びます。日本社会に甚大な被害をもたらすことになるでしょう。その中で原発を維持管理するのは大変難しいものになります。

　また、噴火予知は、短期予知・直前予知はある程度可能で

すが、噴火後の推移や終息を予想するのは大変難しいのが現状です。

(4) 熱い日本列島

日本列島は、一部を除いて火山活動と密接に関連し、地熱活動が盛んです。特に北海道から中部地方、九州地方に高温域が分布しています。温泉利用は全国で2万8154カ所、世界最大の温泉利用国であり、大きな恵みをもたらしてくれます。

地温勾配は平均で30〜50℃/km、火山地帯では、100℃以上の場所もあり、世界でも大きな値を示します。

この熱は大きな恵みを与えてくれる一方で、廃棄物の地層処分の際には大きなネックになることに留意しておく必要があります。

(5) 大地の不安定性（隆起・沈降運動）

大局的には、日本列島はプレートが収束する境界にある隆起帯で、その隆起速度は世界で最も大きな部類に入ります。南アルプスでは最大8.8mm/年という値も得られています。一方、関東平野中央部や断層に囲まれた盆地などでは相対的に沈降する場所もあります。多くの場所が0〜0.6mm/年の隆起量を示します。10万年というスケールでは、数mから数十mの変動を意味します（図4）。

このことは、第10章で扱う放射性廃棄物の超長期に及ぶ保管管理を考える際に、大きなリスクになることを意味しています。

---

2 地下の温度は深さが深くなるほど上昇するがこの上昇の度合いを表す。

(6)　避けられない地下水リスク

　日本の降水量は年平均 1580mm、最大値は三重県尾鷲で 3922mm、最小値は北海道の網走の 861mm で、地球上では著しく降水量が多い地域です。世界平均は 740mm、最終処分の先進地であるフィンランド・ヘルシンキでは 655mm、ドイツ・ベルリンで 570mm という値です。

　日本の地下には必ず「地下水」が存在します。地下水は雨水が地下に浸透したか、海水が浸透したかのどちらかです。

　岐阜県瑞浪市に建設された超深地層研究所では、500m の深さまで掘削されていますが、ポンプによる揚水量は 60 トン／日にのぼり、常時地下水をくみ上げなければ、水没してしまう環境です。数十億年安定していたとされる大陸の安定した岩盤や岩塩層においても、地下水の存在が問題になっています。福島第一原発では、地下水の流入を食い止めようと凍土壁など様々な方法が講じられていますが、未だ完全に止めることができていません。

　第 7 章で扱う放射性廃棄物の地層処分において、廃棄物と地下水との接触は最も忌避すべき問題です。降水量が多く、断層や節理の多い地盤構造を持つ日本国内で地下空間を作る時、地下水を避ける場所を見出すことはまず不可能でしょう。

　日本の地層処分の計画では、地下水に対する工学的な人工バリアによる「閉じ込め期間」を 1000 年とし、それ以上の期間でも長期の安定性を確保できるとしていますが、いずれにせよ、その後の数万年間は自然の中に捨て置かれることになって

図4 過去10年間の地殻変動図

中部地方から東北地方にかけての地殻変動。矢印が上下変動を示す。どの地点でも1cm～数十cmの変動をしていることがわかる。

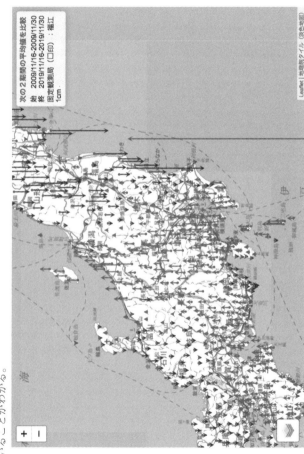

関東・中部（10年間の水平方向）：平成23年(2011年)東北地方太平洋沖地震の地殻変動が見られます。

出典：国土地理院ホームページより一部加工して作成

128

しまいます。

2　まだ想定外を容認する「新規制基準」

　原子力規制委員会は、福島原発の事故を踏まえ、原発の安全性に関する「新たな規制基準」を作りました。その中身には、自然界でおきる不確実で不確定な現象に対し、「基準を設け、想定外のリスクは容認する」という思想が依然として受け継がれています。

　想定外とは、地震工学における「残余のリスク」と言われるもので、確率は低いものの避けることができません。原発では、想定外のリスクをもたらす事態が起きた場合、致命的な状態を招くことになります。

　これまで、原発はメルトダウン自体があり得ないこととされてきました。新規制基準ではこれらを想定しましたが、逆に言えばメルトダウンやテロ攻撃を現実にあり得ることとし、これへの対策を検討せざるを得ないということでもあります。

　地震や火山の研究者からは、新規性基準に対する疑問点が出されています。

　島崎邦彦（東京大学名誉教授）
　・設計基準地震動の大きさは、過小評価されている。基準津波の大きさも過小評価されている
　須藤靖明（元京都大学助教授）
　・規制基準の想定は、今後数十年を想定しており、数万年以

上で起きうる自然災害についての想定がなされていない。廃棄物を数万年間保管する場所は日本列島にはない。

・敷地内に痕跡が見いだせない＝安全にはならない。モニタリングは大学や研究者頼み、モニタリングしても、地震や火山についての予測は不可能である。

日本火山学会

・巨大噴火の監視体制や噴火予測は、重要な課題。今後調査・研究を推進することが重要。噴火警報を有効に機能させるには、噴火予測の可能性、限界、曖昧さの理解が不可欠。火山影響評価ガイド等の規格・基準については、慎重に検討すべきである。

小山真人（静岡大学教授）

・火山災害で防災中枢が被害を受けた時の指示や避難体制が計画されていない。

・降下火山灰や火山泥流、火砕流などの想定が不十分。大規模カルデラ噴火の発生確率が小さくとも、発生した場合の原発放棄などによる被害の深刻さを十分考慮しなければならない。

その他にも、

○熊本地震で経験された「繰り返し地震」を想定外とし、耐震基準として取り入れていない。

○火山灰濃度の想定値が低い。非常用ディーゼル発電機の吸気フィルタの目詰まりによる機能喪失の可能性が考慮されていない。

などが指摘されています。

コラム　誰も責任をとらない

　政府は原発の再稼働を進めていますが、その安全性は次のような理屈（？）で確保されたことになっています。

　★原子力規制委員会……規制基準は安全を保証するものではない
　「基準の適合性は見ていますけれども、安全だということは私は申し上げません」　原子力規制委員会　田中俊一委員長

　★日本政府……完全に安全を確認。世界で最も厳しい基準。
　「完全に安全を確認しない限り原子力発電所は動かさないということにしておりまして、世界で最も厳しい基準によって、独立した原子力規制委員会が安全と判断したものについてのみ稼働をしていくという考えであります」安倍首相

　新規制基準を作った規制委員会は、これを守ったからと言って安全だとは言えないと明言しており、一方政府は規制委員会が安全と判断したから稼働するのだと言う。普通に考えて、無茶苦茶な論理構成です。
　はっきりしていることは、原発の安全性はだれも保証していないということ。
　原発を推進している政治家や経産省の官僚が、事故の責任をとることは決してありません。

第7章　未来に負債を押し付ける原発のゴミの後始末

　原発からは、大量の放射性廃棄物−核のゴミ−が出てきます。原発が始まって以来、「トイレのないマンション」と揶揄されてきましたが、このゴミの処理方法はいまだに決まっていません。この現実に対して、政府はまともに向き合わず、問題を先送りにしてきました。目の前にゴミが山積しています。しかし現状では、保管、放置、薄めて投棄、という事態が続いています。

　ヒトが定着生活を始め文明の一歩を踏み出すのはおよそ1万年前です。今につながるヒトの誕生はおよそ20万年前、アフリカの大地を出て、日本列島にたどりついたのは3.8万年前と考えられています。このような人類の時間のスケールを考えれば、放射性廃棄物の隔離を1万年、いや200〜300年展望することさえ、大変難しいことです。そこには、日本列島の不安定性、自然現象の状態変化の不確実性だけでなく、人間社会の将来予測の不確実性も横たわっています。

　原子力規制委員会は、放射性廃棄物の処分の基本方針とし

て、地下深くに埋め、電力会社に 300 〜 400 年間、放射能汚
染のないように管理させ、その後 10 万年間、政府が管理する
方針を打ち出しています。今後 10 万年間の管理を後の世代に
託そうというのは、全く非現実的であり、後の世代への責任転
嫁という以外の何物でもありません。

　数ある電力の中から「原子力発電」を選んできた政府と電
力会社。その廃棄物の問題に解決の道は、本当にあるのでしょ
うか？

1　放射性廃棄物とは何か

　原発から出てくる廃棄物は、多種多様です。放射性物質そ
のもの、放射能を含むもの、放射能で汚染されたもので、それ
ぞれ異なった問題点を抱えています。

⑴　放射性廃棄物のクリアランス（切り捨て）

　まず、何をもって「放射性廃棄物」とするかという問題が
あります。検出限界以下の放射能も含め、原理的にはどこかで
線引きはせざるをえません。現実問題としては、原発などから
出る廃棄物についてある線量以下のものは放射性物質と見なさ
ない、というのがクリアランス基準です。

　仮にこの基準を緩くし、「低い線量は大丈夫」ということに
してしまえば、低レベルのものを埋め立てや建材などで再利用
できることになります。再利用による集積のリスクもあり、切
り捨て後は全くコントロールがきかなくなるという問題もあり

ます。

　そもそも、生物の進化過程を考えれば、人工放射能を環境
中に排出すること自体出来る限り避けるべきであり、たかだか
「電気を作る」程度のことのために放射性物質を廃棄すること
そのものが本末転倒といえるでしょう。

　現実に、福島の事故以降、「クリアランス基準」は一気に緩
められ、2011 年に 100 ベクレル /kg であったものが、事故後
の福島での「指定廃棄物」においては、8000 ベクレル /kg に
大幅緩和されています。

(2)　放射性廃棄物の種類

　放射性廃棄物とは、放射性核種を一定量以上含む廃棄物の
総称ですが、その定量的な区分や定義は国際的にも定まってい
ません。国際原子力機関（IAEA）で広く用いられている概念
では、大きく４つ（低・中・高・TRU）のレベルに分けていま
すが、日本の場合は、低レベルと高レベルの２区分としていま
す。

　①低レベル放射性廃棄物

　　　高レベル放射性廃棄物以外の放射性廃棄物。放射能と
　　崩壊熱の発生は高レベル放射性廃棄物より低いが、通常
　　の取り扱いでの接触や輸送時に、放射線防御を必要とす
　　る廃棄物。
　②高レベル放射性廃棄物

　　　原子炉で使用された「使用済み核燃料」や再処理で発

コラム　放射性廃棄物が 1/100 になるまでの時間

　放射能は、どんな方法でも消すことはできません、唯一、時間の経過でのみ、放射線量が減衰します。

　一般的に高レベル放射性廃棄物の管理期間は、安全側の考えをとって、10 万年とする考え方が主流になっています。10 万年は、プルトニウムの放射能がおよそ 100 分の 1 になる期間に相当します。

●トリチウム　　　半減期　12.3 年
　100 分の 1 になるまで　　約 80 年
●セシウム 137　　半減期　30.1 年
　100 分の 1 になるまで　約 200 年
●プルトニウム 239 半減期　2.4 万年
　100 分の 1 になるまで　　約 13 万年

生した廃液、ならびにこれらと同等の強い放射能を有する放射性廃棄物。核分裂生成物と超ウラン元素を含む。

⑶　**廃棄物の量**

　現在、推定量として以下のような予測が出されていますが、全体の総量は確定できていません。日本では、使用済み核燃料を再処理することになっていますが、再処理工場はストップしており、再処理のメドはたっていません。核燃料サイクルそのものがまったく見通せない状態に陥っています。

①低レベル廃棄物

　　ドラムカンで 186 万本（2048 年まで）

②高レベル放射性廃棄物

　　２万トン（2020 年推計値）

　　ガラス固化体が 2600 本（2011 年段階）

　　再処理工場がフル稼働すると毎年 1500 本発生。これまでに使われた燃料を再処理すると最終的に約 2 万 5000 本。（NUMO の HP より）

③再処理後のプルトニウム

　　46.9 トン（2016 年末時点）将来は不確定

2　放射性廃棄物の処分方法は？

　放射性廃棄物は、それ自体大変有害ですので、人の環境から隔離しなければなりません。そのために、どんな処分方法が考えられているのでしょうか。

　実のところ、これまでに大きく分けて 3 つの方法が考えられてきました。

　しかし残念ながら、これらの処分方法を実現し、確立している地域、国は、世界中どこにもないのが現状です。

(1)　管理型

　処分場に埋設し、一定の放射能レベルになるまで巡視・点検・モニタリングを続ける。無限に管理し続けることは不可能ですから、必然的にどこかの時点で非管理型に移行することが予想されます。

(2)　非管理型（隔離）

　人間の活動環境から隔離された所に処分し、人間環境に届かないようにする方法です（コラム参照）。

　現時点で唯一この可能性があるのは、岩石圏の処分（地層処分）と考えられています。これは地下深部の安定した岩体に埋設するというもので、再処理後の「ガラス固化体」を埋める処分と、再処理せず核燃料をそのまま埋める直接処分があります。各国の廃棄物は各国の責任のもとで「処分」されること（ORCD/NEA レポート）が原則です。よって自国で出た廃棄物を他国に埋設するということは許されませんし、ましてや受け入れる国はないでしょう。世界で岩石圏への処分が始まったところはありません。[1]

(3)　核変換消滅処理

　使用済み核燃料に含まれる放射性物質に中性子をぶつけて核分裂を起こし、短寿命で毒性の低い物質や放射能のない物質に変えようという方法です。

　一見期待できそうですが、処理の工程の難度がきわめて高く、他の放射性物質が生成するとともに、処理後の放射性廃棄物がかえって多くなるなど、問題点が多く、現時点では実用は

1　プルトニウムの処理・処分について
　　再処理により抽出された大量のプルトニウム（日本の保有プルトニウムは 2016 年末において 46.9 トン）は、核兵器に転用できる物質であることから、特に厳格な管理が必要です。プルサーマルの MOX 燃料として消費する量はわずかなものであり、燃料加工せず直接処分する方策の検討が必要になっていますが、抽出プルトニウムを処理・処分する方策は見通せていません。

　非管理型の処分というのは、「いやなものはどこか遠くに捨てる」というやり方であり、人間の生活実感としてはなじみのある考え方です。それもあってか、下記のようにかつてはいろいろな方法が検討されました。しかしいずれも実現は不可能なものです。
　●海洋処分
　海溝や海洋底下の数千ｍの海底に投棄する。作業中の事故などで海洋汚染が起こり得るため、ロンドン条約に抵触する可能性があり、検討対象から外されています。
　●氷床処分
　南極の氷床（厚い氷）の下に埋設投棄する。海洋汚染防止条約（ロンドン条約）や南極条約に抵触するので、その検討も不可能になりました。
　●宇宙処分
　太陽系外に放出、太陽へ打ちこむ、地球周辺軌道へ投棄する、太陽系内惑星軌道以外へ投棄するなどの方法。ロケットの打ち上げが失敗すれば、地球全体が放射能に汚染されるリスクがあり、同時にコストも莫大なものになるため、選択肢にはなり得ません。

ほとんど望めません。

3　先の見えない日本の核廃棄物処理

(1)　困難な地層処分地探し

　日本では現在、日本列島の中に管理型・隔離型処分地の候補を選定し、地中に埋める（浅い・深いの両方で）という方向で検討が行われています。

　いわゆる「地層処分」では、地下 300m 以上の深さに処分場を設置します。処分地の広さは数 km^2 におよび、そこに 4 万本のガラス固化体（キャニスター）を埋めることになります。ガラス固化体は、製造後 30 ～ 50 年間は冷却のため地上に保管され、その後地層処分地に搬送されます。処分地の建設には数十年～ 100 年間を要し、廃棄物の搬入が終わると埋め戻されます（地学団体研究会 2019）。

　処分地の選定は、自然条件はもとより、社会的合意という点でも、簡単ではありません。最終処分場の受け入れは、長期的な地域経済の存続や発展には寄与しないばかりか、超長期にわたり、放射能漏えいリスクを抱えた地域として認識されることを意味しています。端的に言って、「引き受ける地域はない」というのが現状です。

　核燃機構は、具体的な処分場候補地として 2005 年 3 月までに 23 道府県 88 カ所を開示しました。しかし調査には着手できず、当然のことながら地元の同意も得られていません。[2]

　また、海底下処分（搬入口は陸上、埋設場所は海底下 300m 以上の深度）技術も議論されてもいますが、沿岸海底部の調査は進んでおらず、有望地は示されていません。

　一方、日本学術会議では委員会を作り数度の報告や提言をしています。その中では、「現時点の科学的知見だけでは安全性に対する信頼性を確保できない」とし、数十年から数百年の

2　核燃機構があげた「高レベル放射性廃棄物処分場候補地」
　北海道 11、青森 1、岩手 6、宮城 1、秋田 3、山形 1、福島 14、茨城 6、栃木 1、新潟 7、長野 2、岐阜 4、愛知 1、京都 1、鳥取 3、島根 2、岡山 2、広島 4、愛媛 4、高知 7、長崎 2、宮崎 4、鹿児島 10

暫定的な責任保管が提案されています。

(2) 科学的特性マップ

　このような状況に追い込まれた、総合資源エネルギー調査会・地層処分技術 WG（2015.1 中間、2016.8 最終）は、次のような条件をあげて、処分地の基準を示し、それに応じて、通産省は「核のごみ最終処分場」の「科学的特性マップ」を 2017 年 7 月に公表しました（図 1）。

　しかし、この図は「候補地を日本列島の 3 分の 2 に絞り込んだ」「処分地として不適格な条件を示した」というにすぎず、それ以上のものにはなっていません。

　地層処分の実施主体として設立された NUMO（原子力発電環境整備機構）による、「核のゴミ」最終処分場を決めるための全国説明会も行われていますが、学生に謝礼を渡して動員したことが発覚する失態を演じました。さらに、説明会での説明は非常に淡白で、その科学的根拠を求めても「地域が絞られてから調査する、掘りながら検討を進める」という回答に終始しているのが現状です。

(3) 廃炉・解体にともなう廃棄物

　事故を起こした福島第一原発の収拾は、大変な困難に直面しています。どの分野においても試行錯誤が続いており、見通しが立たないままです。高放射線による被ばくのリスクが大きく、処理技術そのものが確立されていません。政府の「中長期ロードマップ」では、廃止措置終了までの期間を 30 〜 40 年

図 1　科学的特性マップ

日本列島の適地の可能性を示す図だが、実用性は乏しい。詳細は NUMO の HP で確認していただきたい。

出典　NUMO ホームページを一部改変して作成

後としていますが、様々なトラブルに見舞われ、何度も計画が改定されています。

　原発の建設に5年、廃炉に40年。このことはいかに廃炉技術そのものが難しいかを示しています。原発の廃炉によって発生する放射性廃棄物は、高レベルからクリアランスレベルまで多様であり、原子力規制庁（2016）によれば、57プラントで総量を134万1000トンと見積もっています。

　放射能濃度の比較的高いものは、基本的には地中100mほどの中深度処分を想定していて、事業者に対する規制期間は300～400年間としています。廃炉の処理にも、将来に対する大きな困難やリスクが待ち受けているといえるでしょう。

コラム　科学的特性マップのいう「基準適性のある地域」とは？

　科学的特性マップの「適性」は、次のような条件で決められています。

(1)　好ましくない条件

　　①回避すべき　　　　　火山、活断層の近傍
　　②回避が好ましい　　　隆起と浸食量が大きい
　　　　　　　　　　　　　地温が高い
　　　　　　　　　　　　　火山性熱水、深部流体が存在する
　　　　　　　　　　　　　鉱量の大きな鉱物資源が存在する
　　　　　　　　　　　　　火砕流の影響を受ける
　　　　　　　　　　　　　処分場の地層が軟弱

(2)　好ましい条件

　　①港湾からの距離が十分短い（沿岸部）
　　②陸地で海岸から 20km 以内
　　　海底で海岸から 15km 以内

　この条件で考えると、好ましい特性のある地域とは、「好ましくない条件」がクリアされた、海岸からの距離が近い地域となるようです。

第8章　原発は日本の安全上の最弱点

小さな武器でも大惨事

国レベルの安全保障を考えた場合、原発を持つことそのものが最大の弱点となります。

その理由は、原発は武力攻撃（戦争やテロ攻撃）に耐えるように設計されていないからです。

この章では、以下のような点についてお話ししたいと思います。

現在、日本にある原発は経済性を最優先につくられており、武力攻撃に耐えるようには作られていません。

したがって、戦争やテロリストに攻撃された場合、重大事故[1]になるのを防ぐことはできません。

しかも、それらの原発は全て海岸線に並べられており、非常に国外から攻撃されやすい位置にあります[2]。

したがって、原発を持つことそのものが日本の安全上の最弱点となるのであり、これを逃れることはできません。

1　「重大事故」とは大量の放射性物質が環境に放出される事故。
2　原発や関連施設の設置状況は後掲の図2を参照。

1　重大事故はこうして起きる

(1)　原子炉は急に止まれない……発熱し続ける炉心

　原発が武力攻撃を受けた場合、どのような経過を経て重大
事故にいたるのでしょうか？

　原発の発電のしくみは、原子炉の中で、核燃料が核反応を
起こし、それによって発生する熱で水を蒸発させて蒸気タービ
ンを回転させます。蒸気タービンが回ってから以降は、蒸気タ
ービンに連結された発電機を回転させるというもので、火力発
電と同じです。

　ところが、発電を止める場合、原発では火力発電とまった
く異なる危険性があります。

　火力発電の場合、石油、石炭、あるいは、天然ガスなどの
燃料の供給をストップすれば、もうボイラー内の発熱は完全に
なくなりますが、原発の場合は炉心（原子炉内の核燃料が集めら
れた場所）に制御棒（中性子を吸収する材料でできている）が挿入
されて核反応が止まっても、発熱はすぐには止まりません。そ
れは、ウランが分裂してできた欠片が強烈な放射性物質として
炉心に残っており、それらが出す放射線が熱に変わるためです。

(2)　運転停止後の発熱量は膨大

　では、核反応停止後の発熱量はどのくらいになるのでしょ
う。実のところ、その発熱量は原発の通常運転中の発熱量の数
パーセントにおよびます。「数パーセント」というと、少ない

と思われませんか？

　少し計算してみたいと思います。

　例えば、電気出力100万キロワットの原発があるとします。これは日本にある標準的な原子炉です。

　熱のうち電気に変換できる割合（発電効率）は約30数パーセントですから、その原子炉内での発熱量は300万キロワットということになります。その数パーセント、仮に5％とした場合、15万キロワットの発熱量が残ることになります。

　1000ワットのヒーター15万台分。これだけの熱量があれば、お風呂一杯（約200リットル）の水を0.02秒で沸騰させ、0.08秒で蒸発させることができます。停止後の発熱量がいかに膨大なものかがわかります。

　運転を停止しても、その後の炉心はこんな様子です。ですから、原子炉内の核分裂を停止した直後からただちに核燃料の冷却を始めないと、核燃料の損傷が起こり、最悪では炉心のメルトダウンという重大事故が起きてしまうのです。

2　炉心を冷やす方法とそのぜい弱性

(1)　炉心を冷やすには、熱を海に運ぶ

　日本のように海岸線に並んだ原発の炉心の冷却の方法は、炉心で発生する熱を海に捨てることです。言い換えると、「炉心から海へ熱を運ぶ」ことが重大事故を防ぐための必須の条件です。

　「炉心から海へ熱を運ぶ」原理を図1に示します。少し複雑

図 1　炉心冷却の原理図

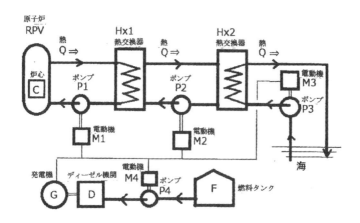

ですが、図を見ながら追いかけてみてください。

　原子炉圧力容器（RPV）内の炉心（C）で発生した熱 Q はポンプ P1 によって循環する炉水に乗り熱交換器 Hx1 に届けられます。熱 Q は熱交換器 Hx1 の中で非常用補機冷却水に移り、ポンプ P2 によって循環する非常用補機冷却水に乗って熱交換器 Hx2 に届きます。熱交換器 Hx2 の中で熱 Q は海水に移り、非常用海水ポンプ P3 によって循環する海水に乗って海へ運ばれます。

　このように、熱を海に捨てるのも簡単ではありません。炉心にある水を直接捨てれば話は早いのですが、放射性物質によって高い濃度で汚染されているため、どうしても複数の熱交換器（流体を混じらせず、熱だけを移す機械……自動車のラジエターを想像してください）を経過する必要があるからです。

(2) 冷却には電力が不可欠

ポンプ P1、P2 および P3 は電動機 M1、M2 および M3 で回転しますが、それらの電動機の電力は外部から供給された電力、または非常用ディーゼル発電機（ディーゼルエンジン D と発電機 G の組合せ）によって発電されます。

ディーゼルエンジン D は燃料ポンプ P4 によって、燃料タンク F から送られる燃料（軽油）で運転されます。とても複雑な組み合わせですね。

このように炉心を冷却するにはいくつものポンプ、電動機、熱交換器、配管系、ディーゼル発電機、燃料タンク、電線などがすべて運転できる状態になければなりません。

その上で、さらに運転制御に必要な計測機器、制御機器、中央制御室の制御盤の健全性、および、運転を担当する人員の安全も確保されねばなりません。原子炉自体が壊れなくても、これらの条件のどれかが欠けたら、炉心の冷却ができなくなるのです。

3 炉心冷却に必要な機器は攻撃しやすい場所にある

(1) 冷却系統の機器は屋外に設置されることが多い

ここまでの話で、原子炉は止まった後も冷やし続ける必要があること、冷やし続けるには冷却系統がきちんと作動する必要があることはお判りいただけたと思います。

　ところが、実はこれらの冷却系統はとても物理的に脆弱なのです。原子炉は通常原子炉建屋内に配置されますが、炉心を冷却するための上記の機器類のすべてが原子炉建屋内に配置されるわけではないからです。

　特に、海水系のポンプは吸込み性能の制約のために必ず海水面近くに設置しますし、熱交換器は海水を内部に含むので、原子炉建屋内に海水をなるべく入れないようにするために原子炉建屋の外部に設置することが多いのです。

　ディーゼル発電機も寸法が大きいため、スペースに余裕のない原子炉建屋内ではなく他の場所に設置されることが多く、また、ディーゼルエンジンの燃料タンクは寸法が大きいことや火災予防および消防の観点から屋外に設置されます。

　このように、炉心を冷却するのに必要な機器類の多くが原子炉建屋の外に置かれているのです。

(2)　**原発はテロリスト御用達になりかねない**

　これらの機器に対する武力的な攻撃を想定した場合、機器が原子炉建屋の外側にあると言うことは、テロリストたちが外部から攻撃しやすい場所に設置されているということです。そして、これらの機器類は比較的軽量な数人の人間によって運搬が簡単にできる兵器、たとえば、機関銃、迫撃砲、あるいは小型ロケット砲で、運転不能な損傷を与えることが可能です。飛行機からの通常爆弾ならばもっと確実に同じ被害を与えることが可能です。

　さらに言えば、強力な弾頭をつけたミサイルが使われる場

合には、たとえ機器類が原子炉建屋内に設置されていても破壊されないという保証はありません。

　つまり、武力攻撃に対しては、原子炉の重大事故を防ぐことができないということです。

　2019年9月、サウジアラビアの製油所がドローンによる攻撃を受け、甚大な被害を出しました。サウジアラビアはアメリカから10兆円以上の軍備を購入し、全土に88基のパトリオットミサイル（迎撃用ミサイル）を備える軍事大国です。その防空網が1機100万円レベルのドローンで簡単に破られたのです。

　図2に示すように、日本の原発はすべてが海岸線に並んでいます。これらの原発が武力攻撃に対して脆弱であることは、だれが見ても明らかです。

(3)　原子炉より危険な使用済み核燃料貯蔵プール

　原発には原子炉とは別のもっと危険な設備があります。それは使用済み核燃料貯蔵プール（燃料プール）です。

　原子炉建屋（PWRの場合は原子炉補助建屋）の最上階にある燃料プールに通常爆弾やミサイルが命中した場合、高レベル放射性物質を大量に内包する使用済み燃料が破損し、大量の放射性物質が環境に放出されます。

　燃料プールに貯蔵されている使用済み核燃料には炉心に溜まった放射性物質よりも何倍も多い放射性物質が含まれている上、同プールが原子炉格納容器の外にあるので、ここを攻撃された場合の被害はさらに深刻になるのです。

図 2　日本の原子力発電所の現状　　(2019 年 10 月 31 日時点)

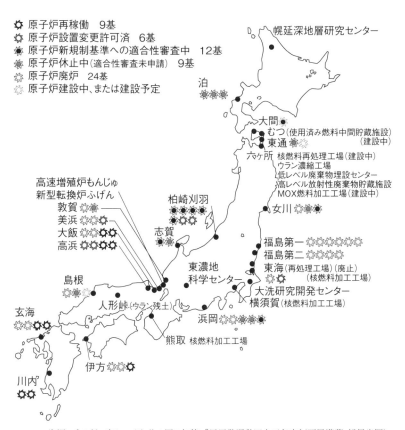

資源エネルギー庁ウェブサイトの図に加筆。『反原発運動四十五年史』(西尾漠著、緑風出版)

⑷ 送電線や送電鉄塔も弱点

　原発から電力を送る送電系統の送電線の大部分は原発の敷地外にあります。また、原発自身も外部から電力を供給されていますので、その送電線も敷地外にあります。

　この送電線や送電鉄塔などを破壊されると、非常用ディーゼルエンジンの燃料を使い切ってしまった後、外部から電力を供給してもらえず、炉心の冷却が不可能になります。

　送電線そのものは、野を越え谷を越え、数百キロの単位で敷設されています。これをすべて物理的に防護することは不可能です。

4　再処理工場は原発よりはるかに危険

　原発そのものではありませんが、日本各地の全ての原発で発生した使用済み核燃料を集めて再処理をする青森県六ヶ所村の再処理工場、および東海村の再処理工場は高レベル放射性物質を内部に溜め込んだ使用済み核燃料が集められた施設です。

　ここを武力攻撃された場合、その危険性は放射性物質の量の観点から原発の危険性をはるかに超えるものとなります。

5　原発は安全保障上の最弱点

　原発はその内部に、原爆が爆発した時にできる放射性物質（＝死の灰）より、けた違いに多い死の灰が蓄積されており、何

らかの形で破壊された場合には膨大な放射能汚染を生じさせることになります。すなわち、原発があることは、国家の安全保障上まったく不都合なことなのです。

チェルノブイリ原発事故（1986 年）や福島原発事故（2011 年）の例を見れば明らかなように、原発が武力攻撃を受けて重大事故が起きたら、広い範囲にわたり極めて長期間、環境が放射能によって汚染され、安心して生活できる環境に戻る可能性はありません。

福島原発事故については、気象条件によっては関東地方一円の数千万人の人々が避難を強いられる可能性すらありました。今後、いずれかの原発において重大事故が起きた場合、最悪の場合には日本全土が人間が住めない環境になり得ますし、そうでなくても、産業が壊滅し、国が亡びる可能性が大きいです。

日本の安全を守ろうとするならば、原発利用を続けることはその目的に反する非常に危険なことです。

1発100中

第9章　安全な原発などない

　人間がつくったものは壊れることがあります。壊れても被害が限定されているのであれば、これを改良することで安全な技術が確立できるのだとはいえるでしょう。むしろ失敗や事故が技術を進歩させるといった方が分かり易いかもしれません。

　そして、確立された技術には、どのような故障が起きても人為的なミスをしても、安全を確保できる仕組みが組み込まれなければなりません。

　このような観点から見た場合、原発は確立された技術ではありません。同時に、壊れた場合の被害を限定できないし大規模事故を無くすこともできません。したがって、技術を確立する過程では福島原発事故あるいはそれ以上の事故を繰り返し経験することになります。この結果、いたるところが放射能汚染で埋め尽くされ、安全な原発が完成する頃には地球は住めなくなってしまいます。

　失敗や事故の許されない原発は、技術として成立しないのです。

1　安全とは何か

(1)　「絶対安全」はあるのか、という議論の欺瞞性

　電力会社は福島原発事故以前、「原発は絶対に安全です」と言っていました。事故後は、「航空機も自動車も、火力発電所だって事故を起こすことがある。世の中に絶対安全などない。原発が絶対安全だというのは間違っていた」と一見間違いを認めて反省しているように見えました。

　しかし、その後この言い方はさらに変化し、「世の中に絶対安全などない。原発も絶対安全ではない。だから、可能な限りどこまでも追求するのが安全への道だ」となりました。

　安全性の問題を、あたかも目標を掲げて決意表明することにより達成できるかのような抽象的問題にすり替えてしまったのです。

　その上で、原子力ムラの専門家は「原発に絶対安全を求めるのは間違っている」あるいは、「絶対安全を言うのは科学的に間違っている」と原発反対を主張する人たちを攻撃し始めました。

　確かに世の中に「絶対安全」はありません。それは当たり前のことです。しかし、福島事故前は「原発は安全です」と言っていた「専門家」が、今になって声高に「絶対安全などない」と強調する姿勢にはいかがわしさを感じます。

　それでは、「安全性」とはどのように考えるのがよいでしょうか。

(2) 回転ドアの安全とは何か

　科学技術の世界では、ISO/IEC GUIDE51（2014）[1]で安全とは「許容できないリスクがないこと」としています。

　事故により「人が取り返しのつかない怪我をする、あるいは死亡すること」は受け入れられるリスクではありません。したがって、その様なリスクがある場合は、「その技術を改良して許容できるレベルまでリスクを下げるか、それができないなら採用されるべきではない」ということになります。「安全である」ことを保障するためには、リスクを一定のレベルまで低減することが必要なのです。

　2004年3月に六本木のビルで、回転ドアに小学生が挟まれて死亡する事故がありました。

　このケースでは、回転ドアは「赤外線センサーをつけているから安全だ」とされていたことが間違いでした。

　「赤外線センサーは条件により子供を検出できない場合がある」「センサーが故障していたら事故になる」「センサーが作動しても『いきおい』で25センチも動くことがある」ということを想定していませんでした。

　回転ドアは、回転しながら外気を遮る便利な機械ですが、人が挟まれる危険があります。もともとはヨーロッパから導入されたものですが、風が強いことや見栄えを考え日本で「改良」した結果重量が増し、危険なものとなっていたのです。

1　国際標準化機構 ISO と国際電気標準会議 IEC が共同で作成した機械の設計に最も重要な国際安全規格で3版が2014年に改正された。

　事故を起こした回転ドアは、故障した場合に安全が確保でき
ない（許容できないリスクがある）システムだったのです。こ
こが問題なのです。

　故障したり、人が少々ミスをしたりしても、必ず安全側に
作動する仕組みにしない限り、事故は防ぎ得ないのです。これ
を本質安全と言います。

　もし、それができないなら、例えば回転ドアの重さや速度
を下げ、子供が挟まれても軽い怪我で済む程度のエネルギーに
落とすか、挟まれてもドアの側が折れる仕組みにするべきです。
それもできないなら撤去されなければなりません。

　よく、技術にはメリットとデメリットがあるから、多少の
危険があっても便利で効率の良い回転ドアを一概に排除すべき
ではない、と言った意見が聞かれますが、故障した時にほぼ確
実に子供を死に追いやる（実際には大人でも命の危険がある）装
置のデメリットを上回るメリット（便利さや経済性）などあり
ません。

(3)　原発事故のリスクと被害の規模

　原子力事故のリスクは、次のような式で表されます。

　事故のリスク＝〔事故の被害の規模〕×〔事故の発生確率〕

　しかし、原発は〔事故の被害の規模〕の上限を設定するこ
とが困難です。今回の福島の事故も、「たまたまあの程度」で
済んだという状況です。

一方、原発の〔事故の発生確率〕は相対的には小さい値ですが、ゼロではありません。発生確率の計算も多くの不確かさがあり、条件次第で１桁どころか２桁、３桁くらいずれることがあります。自然現象による事故をはじめ、故障あるいは人為的なミス、さらに基本的な設計ミスなど、原発の複雑さ故に、事故が発生するまで決して分からないことになります。事故発生の不確実さを想定することすら困難なのです。

　さらに、例えば原発の事故の発生が１万年に１回という確率だとしても、理論上、それは明日起こることかもしれないのです。現実には、私たち人類はこの50年間の間に原発の過酷事故を３回も経験しています。そのような点を考えれば、事故の確率が従来の想定より大きくなることは避けられません。

　そうであるならば、原発のリスク評価は、机上の空論ともいうべき発生確率を横に置いて、原発事故の被害規模だけで受入れ可能かどうかを判断するのが、合理的だと言えるでしょう。

2　確率論的リスク評価の問題点

(1)　新規制基準のリスク評価の考え方は危険

　これまで述べた通り、原発のリスクを評価するのに確率論に頼ることは明らかに誤っています。にもかかわらず、新規制基準では、例えば未だに原発への航空機落下事故のリスクを「落下確率」だけで評価しているのです。

　実際、現在の「新規制基準」では、航空機の落下確率が 10^{-7} 回／年以下（１基の原発に航空機が落下衝突する確率は 1000 万年に

1回以下）であれば、原発の強度評価をしなくてよいとしています。飛行機の原発への落下は、「ないこと」にされているのです。

　この考え方は、福島原発事故以前から変わっていません。しかし、航空機が原発に衝突し、格納容器が破壊された場合の被害は、とてつもなく大きくなる可能性が高いものです。またF35等の新規軍用機の投入やエアバス等の大型航空機の運航等に伴い航空機事故の危険性は大きく変わってきていると言えます。

　不確実な確率など考えずに、単に航空機が衝突した時の強度を評価すれば良いのです。欧米の新しい原発ではすでにこの点を考慮し、航空機落下に備えた構造にしています。

　現在、再稼働を目指す各原発については、この新規制基準による評価が行われています。しかし、この新規制基準は、「確率によらないこと」を宣言しておきながら、随所に福島原発事故以前の確率に依存した重大な欠陥をそのまま引き継いでいます。

　日本の新規制基準が「世界最高水準の厳しい基準」などと何をもっていえるのかまったく理解できません。

（2）　現実の事故確率は想定した確率の200倍以上

　原子力の分野では、炉心損傷事故等（過酷事故）が起こる確率は原発1基あたり「100万年に一度」と評価されてきました。

　国際原子力機関（IAEA）によると2010年1月時点で世界中におよそ437基の原発が運転されていました。この確率評価によれば、過酷事故は世界中で「約2300年に一度」（100万÷437 = 2288）起こる計算になります。しかし、実際には、過去

50年の歴史の中で、スリーマイル島、チェルノブイリ、福島第一の３つの発電所で、合計５基が過酷事故を起こしています。つまり、実態は「10年に１度」過酷事故が起きていることになります。

確率評価による「2300年に１度」と比較すれば、何と230分の１も過小評価していることになります。

技術の世界も、まず現実を直視することから始めるべきです。にもかかわらず、原子力産業界には、「日本の原子力は、確率論的リスク評価の研究が世界から遅れていることが問題である」と主張している研究者が未だにいます。

破綻した確率論にすがるしかない原子力の哀れな末路としか言いようがありません。

3　過酷事故対策は砂上の楼閣である

(1)　防げない炉心溶融——しきい値を超えると回復不能

原発が安全性の観点で航空機や自動車と異なるのは、その制御の困難さと同時に、大量の放射能の存在です。事故のはじめの段階で収束できれば良いのですが、事故の進展とともに放射能の漏えいを伴い、作業環境が厳しくなり、事故の収束が益々困難になります。いわゆる「悪循環」に入るのです。

そして事故がある一定の段階（しきい値）を超えると一気に原状回復が困難になります。火災で言えば初期消火の段階で消火に失敗し、部屋一杯に火が広がり、もはや消火が不可能な状態に相当します。この「しきい値」に相当するのが炉心溶融です。

　従来の原発の安全設計思想は、この炉心溶融を起こさないようにすることでした。しかし、福島原発事故では現実に3基の原子炉が次々と炉心溶融を起こしてしまいました。

　そこで、原子力規制委員会は福島原発事故以降「炉心溶融を考慮した過酷事故対策」を取ることにすることにしました。

　しかし、福島原発事故を振り返ると、炉心溶融が発生した後から確実に事故を収束させることなどできないことが明らかです。

　「過酷事故対策」として設置される安全装置も、何ら「安全」を保証するものではありません。

(2)　新規制基準の安全装置は問題点だらけ

　福島原発事故により、過酷事故の際には炉心溶融が起き、格納容器ベント[2]を行わざるを得ないことがあきらかになりました。

　このような事態を受け、原子力規制委員会は深層防護の設計思想[3]を持ち出して、新たに次のような「安全装置」の設置を進めています。

①炉心溶融により発生したデブリを緊急に冷却するため、格納容器下部に水を張るシステムを設置する。

②同時に、格納容器の過圧破損を防ぐために格納容器フィルターベント装置を準備する。

2　格納容器の圧力を下げるために放射能を含むガスを抜くこと。環境中に放射性物質が放出されることになる。第1章4参照。
3　深層防護とは原子力施設の安全確保に関する考え方の一つで、安全対策が多段的に構成されていることをいう。

①については、デブリと水が接触した際に水蒸気爆発が発生する危険性があり、「一か八かのかけ」と言わざるを得ないあぶない発想だという指摘があります。

　水蒸気爆発というのは、水と高温の金属などが接触した場合、水が瞬間的に気化する現象です。水は水蒸気になると体積が1700倍にもなり、非常に強力な爆発力を発揮します。19世紀末の会津磐梯山の大噴火は、この水蒸気爆発でした。

　②については、福島原発事故の際に実際に格納容器ベントを行わざるを得ず、その際放射能が大量に排出されることが明白になりました（事故前から分かっていて軽視していたのですが）。このため、さらに「フィルター」の設置を義務付けたというものです。

　しかし、事故時の中央操作室や原子炉建屋および周囲の情況を想起してみれば、水素の処理装置をはじめ様々なサブシステム、複雑なフィルターベント装置を、ミスも故障もなく運用できる保証は全くありません。実際、ベントはなかなか実施できませんでした。

　安全装置を追加しても、それだけで装置が計画どおり作動することなど何ら保障されないのです。

　原発は、安全装置が機能しないと破局にいたる技術であり、これまでの経験によれば、安全装置は往々にして機能しません。

(3)　危険性回避と矛盾するフィルターベント装置

　これらの装置が必ずしも安全を保障しないことは上に述べ

た通りですが、実はそれ以上に「安全を阻害する」要因にもなりうることにも注意が必要です。

フィルターベント装置は、格納容器バウンダリー（放射能の漏えいを防ぐ境界）の一部を構成しています。そして、フィルターベント装置というのは、単に換気扇にフィルターを張り付けるような手軽なものではなく、水素の処理装置をはじめ多くの補器を含む、複雑で巨大な装置です。

この、バウンダリーに手を加え、複雑で巨大な装置をあらたに付け加えることそのものが、従来に比べて格納容器のもつ受動的安全機能を阻害する面を持つのです。

つまり、フィルターベント装置によって放射能の大量放出という事故を防ごうとしたため、フィルターベント装置の故障やフィルターベント装置からの漏えいの可能性が新たに発生し、そのことが格納容器の元々持っている安全性を阻害するのです。

フィルターベント装置は放射能の大量放出を防ぐためのものですが、確実に働くことを保証されていません。フィルターベント装置は事故の発生確率を落としても、あくまでも確率的な安全であり、フィルターベントの故障や漏えいとそれに伴う大量の放射能放出事故の発生をなくすことはできません。

(4)　トータル設計と付加設計

政府事故調査委員会の元委員長・畑村洋太郎東京大学名誉教授は、その著書『失敗学のすすめ』の中で、設計のやり方として、例えばホテルの本館が手狭になり、新館や別館を継ぎ足していくと、やがて様々な欠点が出てくることを指摘していま

す。そうした設計を"付加設計"と言い小手先のまずい設計法と指摘しています。(畑村洋一郎　2005)

　本来は、本館に新館および別館を別々の建物ではなく、全体として総合化した機能をもつひとつの建物として設計し直すべきであるとして、それを"トータル設計"と呼んでいます。

　これを、BWR原発[4]に当てはめてみましょう。

　BWR原発の場合、発生する水蒸気を吸収する機能（凝縮）を持った圧力抑制プールを設置し、原子炉格納容器の容積を小さくするよう設計されました。

　しかし、炉心溶融を起こし水素が大量に発生した場合、圧力抑制プールは水素を吸収しないため、格納容器の圧力が上昇してしまうことがわかってきました。設計当時は起こらないとされた事態ですが、そのまま放置すると、格納容器が破壊される事態を招きます。

　このため、格納容器内の気体を外部へ放出する格納容器ベント用配管とバルブを設置し、大気中に直接放射能を放出できるようにしました。

　そして、福島原発事故で実際にベントを行うことになった結果、大量の放射能が環境に排出されることが明白になり、さらにフィルター装置を付加することになったのです。

　これは、BWR原発は格納容器が小さく圧力が上がりやすいという本質的な問題を放置して、格納容器に「ベント」を設置し、さらに「フィルター付きベント装置」を、という小手先の対応ですませるやり方です。

4　沸騰水型原子炉。第1章3参照。

図1　原子力は制御できない技術

原発は多重防護で安全装置を複数つけて出力を抑え込んでいるが、共通要因故障などで、すべての安全装置が作動しないと出力（温度や圧力）が急上昇し、材料の強度限界を超え、破壊してしまう。

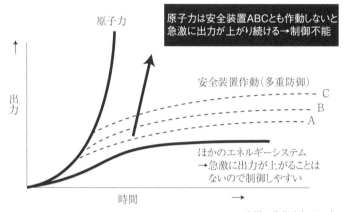

原子力は安全装置ABCとも作動しないと急激に出力が上がり続ける→制御不能

出展：後藤政志 2011年

　典型的な「付加設計」であり、まずい設計法です。

　原子力では、このようなやり方が続いており、安全性を初めから考え直す「トータル設計」が行われていません。

　要するに、フィルター付きベント装置は基本的な安全装置にはなっていないのです。

(5)　原発の安全装置は最悪事故の被害規模を減らせない

　ここまでの話で明らかなとおり、福島原発事故後も原発の安全については、直接的ではありませんが背景として確率論的な手法が用いられています。しかも、ゼロベースで再度安全思想を確立するのではなく、温泉旅館の建て増しのような付加設

計の手法がとられています。

　「確率的」な安全装置の追加は、故障した時に安全側になる仕組みになっていません。炉心溶融事故の発生確率は減らせても、最悪の炉心溶融事故の発生を防ぐことはできませんし、最悪事故の被害の大きさを減らすことも出来ません。

　確率的な安全に頼った設計である限り、多重防護や深層防護をどんなに強化しても、大規模な事故の発生可能性は残ることになります。要するに、本質安全にはなっていないのです。

　図1をご覧ください。原子炉では出力や圧力の上昇を防ぐための安全装置 A、B、C という複数の多重防護を用意し、どれかひとつが働けば出力や圧力を抑え込めます。しかし、例えば地震や津波、火山などの大きな自然現象や安全装置が同時に故障る多重故障などが起こると多重防護が突破されてしまい、制御ができなくなって出力や圧力がそのまま急上昇してしまいます。

　そうなると、もはや原子炉や格納容器の強度限界を超えてしまい急激な破壊が起こり、大量の放射能がばらまかれる大事故になるのです。原子炉は、安全装置が働かない自然な状態では、材料の強度の限界を超えて破壊してしまうのです。

　このような場合、現実の事故では自らの命を省みずに事故に立ち向かう"決死隊"の犠牲の上にしか事故収束ができない事態に陥ります。航空機や自動車事故でも事故の可能性は無くなりませんが、最悪の事故の被害の大きさという点では原発事故と比較対象にすらなりません。

　原発の事故は、国家の存立すら危ぶまれる規模になりえます。そのような事故を起こすことなど、許されるはずがありま

せん。その損失はだれも補償することができません。

4　安全かどうかはだれが決めるのか

(1)　安全を決めるのは被害を受ける可能性のある人

　安全の観点からそのリスクを許容できるかできないかということを決めるのは、そのリスクによる被害を受ける可能性がある人間ひとりひとりです。原発が安全かどうかは、その有用性とは関係なしに、まずは単純に原発自体が安全かどうかで判断するのが当たり前なのです。原発のように大規模な事故が想定される技術の安全に関する問題は、安易に他の利益があるからといって許容してはならないのです。

　原発のような技術には、安全かどうかはっきりしないグレーゾーンが付きまといます。安全の観点から許容できないリスクを他の利益と相殺つまりトレードオフしようなどということはあり得ません。エネルギー選択や経済性あるいはそれ以外の社会的な有用性などは、原発の安全性の問題とは同一平面で考えることはできないのです。

(2)　車や航空機の場合

　運転手の注意力に依存する自動車は技術が進歩して事故を減らせても、一定水準以下にすることは不可能です。一方、不幸にして起きてしまった自動車事故に対しては保険でカバーすることという社会的制度が成立しています。

　航空機の場合は、墜落事故が起きればかなりの確率で死者

がでますが、事故が怖い人は航空機に乗らない選択もあります
し、乗る場合も搭乗前に生命保険を掛ける等、事故の結果と補
償に関して、一応本人を含む社会的な合意が成立していると見
做すことができます。

(3) 原発の場合

原発の場合はどうでしょうか。

まず、「乗る、乗らない」等の個人の選択が可能な話ではな
く、同時にいわゆる保険も成立していません。原発事故が起き
たら払ってくれる保険はないのです。

同時に、原発の事故についてはどの範囲までどの程度の被
害が及ぶかを事前には把握できず、事故の規模の上限すら分か
りません。電力会社が補償できない原発事故の経済的損失は、
電気料金に加算され結局は税金、つまり国民の負担になってし
まいます。福島原発事故の被害に対する補償も、到底事故前の
平穏な生活を取りもどすことはできません。

そしてさらに大きな問題は、国民の過半数が再稼働に否定
的な中で、政府や電力会社は事故の被害規模やその可能性につ
いてきちんとした説明をしていないことです。便宜的に 30km
という距離で線引きをされた結果、行政の都合で説明の対象か
ら外されている人たちが大勢いることも重大な問題です。

被害の最大規模とその発生可能性についても、すべての情
報を開示した上で、当然被害を受ける可能性のある住民一人一
人の意見を聞くべきです。いや、聞くべきというより、自分の
運命を自分で決定する権利を侵してはならないのです。

(4)　民主主義の対極にある原発という技術

　原発は、事故を起こした時に突然予想外の被害者を生むに
もかかわらず、そのような立場になり得る人たちの意見すら聞
きません。

　潜在的な被害者は、理不尽にも原発事故が万一起きたら取
り返しの付かない被害を受けます。その被害は、急性または晩
発性の放射線障害のリスクを負うおそれ、生業や故郷を失うお
それなど、多岐にわたります。被害を受ける人数も日本の人口
密度を考慮すると、数百万人どころか数千万人に及ぶ可能性を
否定できません。

　国民だれもが、突然原発事故の被災者になり得ます。

　また、原発を運転することで利益を得る人たちは、潜在的
被害者と一致していないことにも留意が必要です。つまり、都
市に住む人や電力会社や関連企業のメリットのために、地方の
住民にきわめて厳しいリスクを負わせるという理不尽さがあり
ます。原発は決してコストが安いとは言えない、しかも広域地
震があれば、事故まで至らなくても安全確認のために、長期間
停止さざるを得ないいわば“大規模不安定電源”です。それを
一方的に押しつける原発の存在は民主主義の根幹を揺さぶる問
題なのです。

　別に原発がないと生きていけないわけではありません。

　私たちは、原発と放射能の脅威から解放されて生きる権利
があるのです。

第10章 原発の電気は安いはうそ

　この間、原発を推進しようとする人々は原発の電気が安いということを強調してきました。しかしながら、2019年時点でこの主張は完全に破綻しました。その大きな要因は、次の二つです。

①技術革新により、再生可能エネルギーのコストが大幅に下がり続けている。欠点とされていた供給の安定性についても配電網の強化やスマートグリッドなどの技術開発により克服されつつある。
②建設費の高騰、安全対策・事故対応費用の増大などにより、原発のコストは上がり続けている。

　そもそも、これまでの「原発の電気は安い」という主張そのものもかなりのフェイクでした。詳細は後述しますが、「安い」という計算結果を出すために、無理を重ねてきた経緯があります。

　そして、もともとそのような状況であったところに上記のような事情が重なり、どんなに無理を重ねても安いと言えなくなってしまったのが 2019 年の状況です。

1　原発の電気が安いという主張は完全に終わった

(1)　再生可能エネルギーのコストは激減している

　日本も加盟する国際再生可能エネルギー機関（IRENA）の報告（2018 年）によれば、2010 年からの 7 年間で再エネのコストは陸上風力発電で 23％、太陽光発電で 73％減少したとされています。同報告によれば、太陽光発電のコストは数年以内にさらに下がり、2020 年には現在の半額程度、世界的には 3 円／ kwh 程度になると予想されています。これは、原子力、化石燃料の双方をはるかに凌駕する数値です。

　世界的な投資顧問会社、ラザードによる 2018 年時点の電源別コスト計算は次のようになっています（週刊東洋経済、2019 年 5 月 18 日号）。

全世界の電源別発電コスト（2018 時点　セント／ kwh）

発電種別	風力	太陽光	原子力	ガス火力	石炭火力
コスト	4.2	4.3	15.1	5.8	10.2

　国際的な標準に比べると、日本における再生可能エネルギーのコストは、自然条件や高価な機器コストのため相対的に割高であるといわれています。実際、この間の偏ったエネルギー政策の結果、日本には風力発電機を製作する企業すらありません。

しかし、今後数年のうちに、日本の価格が国際価格レベルに近づいていくこともまた確実です。

　現実に、どの国も固有の自然条件を克服しつつ安価なエネルギーを実現しているのであり、機器コストも低下しつつあります。

(2)　世界の技術開発、投資は再エネに向かっている

　このような情勢を反映し、世界の金融機関は投資先を急速にシフトし、原発・化石燃料から再生可能エネルギーに資金を集中し始めています。アメリカの金融情報会社ブルームバーグによれば、2017年〜2040年の発電種別の投資予測は次のようになっています。

発電種別の世界の投資予測（2017〜2040年　単位ドル）

発電種別	風力	太陽光	原子力	水力	ガス火力	石炭火力
投資額	3.3兆	2.8兆	1.4兆	1.1兆	0.8兆	0.7兆

　ブルームバーグは、2040年には世界の発電電力量ベースで再エネが5割を上回ると予測しています（週刊東洋経済、2018年3月31日号）。

　言うまでもなく、この現象をけん引しているのは再エネのコスト競争力です。エネルギー技術におけるこのような急速なコスト減少というのはかつてなかった現象で、世界各国の電力会社も急速な対応を迫られています。

　残念ながら、日本政府は現時点（2019年10月現在）でもまだ原発の電気は安い、という主張を放棄していません。世界的に

見ても珍しい情勢判断です。

　この時点で原発推進に拘泥することは、安全の問題もさることながら世界経済から完全に取り残されていくことも意味するのです。

2　政府が発表してきた電力のコスト計算のからくり

⑴　実は政府は電力のコスト計算をやめてしまった

　「エネルギー基本計画」というものがあります。

　日本のエネルギー総体のあり方に関する基本計画で、法律に基づいて数年に一度策定され閣議決定されており、2018 年に「第 5 次計画」が出されました。

　実は、その前の第 4 次計画（2014 年）まで、政府は基本計画と平行して「電源別のコスト」を発表してきました。発電コストはエネルギー政策を判断する際の重要な要因ですから、ある意味当然のことです。

　ところが、この第 5 次計画ではそれをやめてしまったのです。第 5 次計画では次のように述べています。

　　　「電源別のコスト検証のみでは、実際に要する他のコス
　　　ト（需給調整コスト、系統増強等に要するインフラコスト等）
　　　も含めたシステム全体でのコストの比較をすることは困
　　　難である。

そこで、『電源別のコスト検証』から『脱炭素化エネル
　ギーシステム間でのコスト・リスク検証』に転換する」

　ここでいう『コスト・リスク検証』なるものの中味は現時
点ではわかりません。いずれにせよ、従来のやり方でのコスト
計算はやらないと言っているのです。
　前提となる条件が変わってきたので違う考え方で行く、と
いうのはありうることです。しかしその場合でも「従来の計
算」を示した上で「条件が変化したので、今後はこう変える」
というのが誠実な態度というものでしょう。
　ここ数年、原発の建設費は従前の1基4000億円程度から欧
米の実績値で1兆円以上へと高騰しています。福島の事故を受
け、安全対策が厳重になった結果です。福島原発事故の廃炉・
賠償費用も天井知らずになっています。
　その一方、再エネのコストは急速に減少しています。
　これらの状況を踏まえれば、従来の計算方法を用いた場合
「原発の電気は高い」という結果が出ることは明らかでした。
政府は、これを公的に認めたくなかった。したがって、電源別
のコスト計算をやめたのです。
　この「原発の電気は高い」という判断については、次項で
もう一度検証したいと思います。
　なお、この計算をやめた結果、「電源別のコスト」について
は未だに2015年に出された数値が生きており、それを元に
「原発の電気は安い」という主張も行われています。おろかな
ことです。

(2)　従来のコスト計算をもう一度検証してみよう

では、「原発の電気は安い」とする政府の主張はこれまでどのような根拠に基づいていたのでしょう。

これまでの経過を少し検証しておきます。

次の表は、政府が発表してきた電源別コストの代表的なデータです。

政府による電源別コスト計算　（円／ 1kwh）

計算年度	風力	太陽光	水力	原子力	石油火力	ガス火力	石炭火力
A 2004			11.9	5.3	10.7	6.2	5.7
B 2011	9.9 ～ 17.3	30.1 ～ 45.8	10.6	8.9 ～	22.1 ～ 36.1	10.7	9.5
C 2015	21.6	24.2	11.0	10.1 ～	30.6 ～ 43.3	13.7	12.3

Aは2004年に「総合資源エネルギー調査会」[1]が発表したものです。第1次～第3次基本計画の根拠として使われ、2011年まで広く「公的数値」として使われてきました。

一見して原発のコストは安いという数値になっていますが、この時点でも石炭火力とは僅差です。

Bは東日本大震災後の2011年に「エネルギー・環境会議」[2]

1　総合資源エネルギー調査会は、経済産業省設置法に基づいて設置された経産大臣の諮問機関。日本のエネルギー政策の根幹を議論するとされている。
2　震災後の2011年6月に設置された内閣の関係閣僚会議。地球温暖化防止とエネルギー政策の両立を目指すとされ、この中に設置された「コスト等検証委員会」が原発コストの再計算を行った。なお、これ

が行った試算、またＣは、Ａと同じく総合資源エネルギー調査会の「発電コスト検証ワーキンググループ」が発表した数値です。

　一見してわかる通り、水力以外は基本的に上昇傾向にあり、また数値に「〜」が多用されていることが目につきます。

　どのデータも政府が発表したものですが、この11年間に何が変わったのか、そんなに建設費や燃料代や運転費用が変化したのでしょうか。

　もちろんそれは大きな要因です。この間、原油価格をはじめとする燃料代は大幅に変動しています。しかし、要因はそれだけではありません。実は、これらの数値は「何をコストとして計算に入れたのか」によっても変動しているのです。

　⑶　コスト計算に含まれなかったものとは

　ここで、それぞれのコスト計算に何が算入されているのか、いないのかを、見ておきたいと思います。

　Ｂ（2011年）はＡ（2004年）と比べ、次のような点で新たな要因を加えたとされています。

　①事故リスクを加えた。
　②原発立地交付金など政策経費（税金でまかなっているコスト）を加えた。
　③化石燃料については、CO_2対策費を加えた。

　をもとに同会議は2012年9月「2030年代に原発をゼロにする」という「革新的エネルギー・環境戦略」を発表した。

　逆に言えば、2011 年以前の計算には、これらは入っていなかったということでもあるのです。

　2011 年の報告には、次のような一文があります。

　　　「東電福島第一原発の事故を踏まえて、従来、低廉であるとされてきた原子力発電のコストについて、これまでは隠れていたコストがあるのではないかという視点から、徹底的に検証する」

　この問題意識そのものは、きわめて正しいものです。

　なお、この 2011 年の計算でも「広報費」は加えられていません。累計 2 兆円以上ともいわれる電力会社の広報費ですが、「原発だけ切り分けられなかった」とされています。

⑷　「〜」の意味するもの……数値を下げるテクニック

　ここで、B（2011 年）と C（2015 年）の「原子力」に注目したいと思います。それぞれ、「〜」がついていますね。この「〜」は何なのでしょうか。

　実はこれは「以上」なのです。

　B の報告書が書かれた 2011 年当時、東京電力福島第一原子力発電所の事故に伴う賠償への対応はまだ始まったばかりでした。「コスト等検証委員会」はその段階でいくつかの仮定を重ね、事故リスクへの対応費用を「最低で 5 兆 8000 億円」と見積もり、これを使ってコスト計算を行っています。

報告書の中では、この費用は「下限値」であるとされており、この時点で推測できない「除染で生じる廃棄物の中間・最終処分関連費用」「生命・身体的損害」等は入っておらず、あるいは計測不能であるとされています。

　要するに、8.9円や10.1円はその後に増加することを前提とした数字なのです。

　福島事故の現実の対応費用は「賠償」だけですでに7兆6400億円（2017年11月）に達し、2011年当時の想定値を超えました。経産省は事故の対応コストを21.5兆円と試算しています（2016年12月）。しかしこの試算も「炉内のデブリの取り出し」までのコスト計算で、それ以降の高濃度廃棄物の処理費用は含まれていません。

　日本経済研究所という日経新聞社系シンクタンクは、全体では80兆円という試算を提示しています。これらが今後どの程度増えていくのか、現実には誰にもわかりません。

　2011年のコスト等検証委員会の報告では、事故対応の費用が1兆円増加するたびにコストは0.1円増加するとされています。仮に80兆円かかるとすれば、それだけで8円のコスト増となる計算です。これだけで、「原子力は安い」という主張は吹っ飛びます。

(5)　さらに重ねる無理筋のテクニック

　もうひとつ、C（2015年）の計算は自民党への政権交代後に行われたものです。ここでは次のような問題点が指摘されています。

①「事故の予測発生率」を 2011 年試算より一桁低く設定した。この結果、事故損害 1 兆円あたりのコストへの反映は 0.1 円から 0.04 円へと低減された。
②福島の事故の結果必要となった「原発の追加的な安全対策費」を実際にかかる費用より大幅に低く見積った。安全対策を施した原発の建設費用を 5000 億円（建設費 4400 億円＋対策費 600 億円）と見積もっているが、海外で新設の際に提示した実績値では 1 兆円以上に及んでいる。電力コストに換算すると 3.5 円程度の上昇要因となる。
③「核燃料サイクル費用」を、使用済みの燃料を 20 年〜 45 年で 100%再処理するという非現実的な前提に立って過少に見積った。現実には、そもそも核燃料サイクルそのものが崩壊している。
④高レベル廃棄物処理についても、1kwh あたり 0.04 円という過少な見積もりを前提とした。これも現実にはまったくめどが立っておらず、本来見積もり不可能な部分である。
⑤廃炉が決定されたものを除く現存の全 43 基がフル稼働するという非現実的な前提にたっている。

　ここで見た通り、以前から自民党政権は「原発を推進するために安い計算式を作り出す」ことに全力を注いできました。
　原発のコスト計算は、「何をコストに入れるか」「前提条件をどう設定するか」でまったく変わってきます。
　政府は本来必要なコストを算入せず、あるいは非現実的な

条件設定を行い、「原発は安い」という虚偽を広め続けてきました。そして、ここにいたってついにどうやっても「安い」と言えなくなり、「電源別のコスト計算」をやめてしまったのです。

3　日本の原発の本当のコストはどのくらいなのだろう

(1)　2015 年の計算式を使った大島堅一教授の試算

すでに述べたように、政府は 2015 年を最後に電源別のコスト計算をやめてしまいました。

これに対し、龍谷大学の大島堅一教授が「2015 年の計算式を使った現在のコスト」を試算しています。この計算に際し、大島教授は次のような前提をおきました。

①政府の 2015 年計算に合わせ、原発の建設費は 2014 年以前に建設された原発の実際の建設費を使った。これは、事故後の建設費の高騰を反映しないことを意味する。
②福島事故後の新規制基準に適合させるための追加的な安全対策費を加える。
③事故後の原発の停止期間を考慮する。40 年間使用予定だった原発が実際には 30 年しか稼働しなかった場合、その分発電量が減るのでコストは上昇する。
④停止中の原発については、2020 年度に再稼働すると想定する。これは原発のコストにとって有利な想定となる。現実には無理であろうが。
⑤事故の費用は 2015 年計算に準じる。

コラム　三上元さんの試算

保険料を加えれば浜岡は 201 円、東海村は 110 円 /kwh

　三上元さんは 2016 年まで湖西市（静岡）の市長、現在は市議会
議員を務めておられる方です。

　三上さんは、原発は、事故の場合の廃炉・賠償金をまかなうた
めに「保険」に加入すべきであるという観点から、これに要する
「保険料」をコストに加えました。その結果は表題の通りです（三
上元　https://www.fepc.or.jp/）。

　実は、原発の事故についてはいわゆる「保険」が成立していま
せん。ゴルフのホールインワンからロケットの打ち上げにいたる
まで、損害のリスクが計算可能なあらゆる分野に保険制度は提供
されていますが、原発については引き受
け手がいません。それは、事故発
生の確率計算の困難さもさるこ
とながら、シビアアクシデン
トがあった場合の賠償金額
があまりに膨大になるから
です。

　原発には保険屋さんも
手を出さないのです。

　この結果は、既存の原発の平均で 13.2 円／になりました。

　この章の冒頭で触れたラザードによる世界的なコストは
15.1 セント（＝約 16 円）でした。2015 年の計算式が、古い建
設費を用いるなど原発に有利な条件を前提にしていることを考
えれば、この結果とも整合性があると考えられます（大島堅一

2019)。

　いずれにせよ、原発が価格競争力をまったく失っていることだけは確かです。

4　コストが高いことを前提に原発を維持する作戦

(1)　廃炉・損害賠償のコストは全国民から徴収されることに

　2016 年 9 月、経産省は「東電委員会」を発足させ、原発の廃炉・賠償費用を全国民から徴収するために、廃炉費用を新電力会社も使う送電線の「託送料」に上乗せすることを決定しました。

　これに基づき、「原子力損害賠償・廃炉等支援機構法」が改正され（2017 年 5 月）、原発を持たない「新電力」のユーザーからも廃炉費用の徴収が始まっています。

　原発の電力を使い、その便益を受けてきたのはそれ以前のユーザーです。

　そのコストを未来のユーザーから徴収する、しかも直接関係のない「託送料＝送電の費用」から徴収するというやり方は課税のあり方として大きな問題をはらみます。

　そもそも、廃炉費用については、当然のこととして本来は原発を作った電力会社が負担すべきものであり、それを含めて原発のコストは安いとされてきたのでした。

　「原発のコストが安い」というこの間の政府・電力会社の主張がここでも音を立てて崩れています。

　コストが安いのであれば、そもそもこのような議論の出る

余地すらありません。[3]

　この法改正は「財政的裏付けをきちんと作らないと廃炉が進まない」という理由付けで行われました。しかしこのような理屈は、他の政策との整合性や過去の経過をきちんと総括したうえで初めて意味を持つ言葉でしょう。

(2)　高い電気の差額を国民から徴収する制度を作る !?

　普通の企業は、1円でも安く生産するために全力をかたむけます。そうしないと、同業他社に負けてしまうからです。

　電力会社だって、本来は少しでも安く電力を生産したい。逆に言えば、高い電源であればやめたい、と思うのが普通です。

　実際、国際的にはこのような動きが進行しています。アメリカではコスト論から原発の新設が止まっていました。ここに手を出した東芝は建築費の増大により大きな赤字を出し、経営危機に陥りました。

　イギリスでは電力会社に新しい原発を作ってもらうため、政府が他の安い電源との差額を保証する（補助金を出す）制度ができました。差額決済契約といいます。そして、この制度ができた状況下でも、日立のイギリスへの原発輸出はとん挫した

3　この問題は、単にコスト論だけではなく、社会倫理のレベルでも検討すべき事柄だと思われます。そもそも、一つの企業が犯した間違いの責任を全国民が負うべきものなのか。前提として、当事者の東電はどのような形で責任を取っているのか。経営者の責任はもちろん、株主（株主は有限責任を負っている）の責任はどうなのか。
　その上で、原発を推進してきた政府、学者の責任。もちろん、議論の射程としてはこれらを容認してきた（選挙で支持を与えてきた）国民の責任論も視野に入れるべきですが、「一億総ざんげ」で済ます話ではありません。

のです。日立の提示した価格があまりに高いため、イギリス政府はこれを拒否しました。

　実は日本でも経産省がこのような制度の検討を始めています。今後どのような形になるのか、現時点では予断を許しませんが、いずれにしても「高い原発の電気には補助金を出すので、原発を維持するように」という話になることが予想されます。

　もし、本当に原発の電気が安いのであれば、そのような話は出る余地がありません。政府も、電力会社も、高コストの原発をどうやって続けるのか、理屈付けも含めて苦慮し始めています。

5　原発は安定供給電源ではない

⑴　「中東依存からの脱却」のうそ

　そもそも「安定した電源」というのは何なのでしょう。

　電事連のHPで「安定供給に向けた取り組み」では、「全国を連携する送電線」「停電の少ない良質で安定した電気」などいくつか項目があげられていますが、その冒頭は「電源のベストミックス」です。

　その部分を少し引用します。

　　　「特に、確認埋蔵量の約５割が政情が不安定な中東諸国に偏在している石油と違い、原子力発電の燃料となるウランは、世界各地に分布しているので、安定して輸入できます」

　「将来にわたって安定かつ経済的に電気をお届けするために、原子力をベースロード電源と位置づけ、火力、水力などそれぞれの発電方式の特性を生かし、組み合わせる形が日本における『電源のベストミックス』と考えています。」(電気事業連合会 HP)

石油は中東にある。中東依存からの脱却が必要。

　なるほど……と思われましたか?。しかしここには明らかなミスリードがあります。それは、この間の日本の電源構成の変化を(おそらくはあえて)無視した表現になっているという点です。HP の他の場所には、電源構成の変化に関する記述もあるのですが。

　実は今、日本の電気のうち石油火力の割合は 9%(2016 年)しかありません。総発電量の中で石油火力が占める割合は、オイルショック当時(1973 年)は 70% を超えていました。この時代の話であるならば電事連のいうところもそれなりの合理性を持つといえましょう。しかし湾岸戦争当時(1991 年)には 25% 程度まで下がり、2010 年には 6.6% まで減少します。

　総発電量が増える中でこの分を埋めたのは、原子力と天然ガスでした。福島第一の事故以降、原発が停止したのを受け、その分を埋める形で天然ガスの割合はさらに増加しました。

　以下に、2016 年の電源構成を示します。

電源	天然ガス	石炭	石油	再生可能エネルギー	原子力	その他
構成比(%)	42	32	9	15	2	2

もちろん、エネルギー総体を考えれば石油はもっとも重要なエネルギーです。一次エネルギーのうち石油は41.4％を占めています（2014年）。しかし、そのうち約4割は自動車の燃料として使われ、発電に用いられているのは11.6％しかありません。

　「エネルギーとして重要」ということと「電源として重要」ということは、まったく違うことがらです。石油は、電源としてはいまや補助的な存在となっています。

　すでに、日本の発電は中東に依存していないのです。

　ちなみに、現時点で天然ガスの輸入先は多い順にオーストラリア、カタール、マレーシア、ロシア、アラブ首長国連邦（2014年度）となっており、この5カ国で全体の7割を占めています。

　(2)　「準国産エネルギー」といううそ

　これも、「中東依存からの脱却」と並べる形でこの間宣伝されてきた話です。

　いわく「ウランの燃えカスは再生され、そこからはプルトニウムが取り出される。高速増殖炉を使えば燃えた以上のプルトニウムが産出され、これが新たなエネルギー源となることから、実質的には国産のエネルギーといってよい」

　この話の前提となっている高速増殖炉は、2016年9月についに断念され、廃炉に向けた工程が開始されています。

　政府・電事連は「プルトニウムはプルサーマルに回すので、

核燃サイクルは依然として有効である」という主張に転換していますが、プルサーマルの高コスト、廃棄物の増加を踏まえれば現実的にはこの主張も破たんしています。

(3)　過度の集積がもたらす電源としての不安定性

　電力を供給するに際し、発電機能が一カ所に集中していた方がよいのか、分散していた方がよいのかは一義的に決まる問題ではありません。集中も分散もそもそも相対的な概念です。

　その社会の自然的・社会的環境を踏まえ、経済的で安定的な電力供給が実現できるシステムが求められます。

　このような観点から考えると、原発はその立地の社会的困難さ（かならず反対運動が起きます）ゆえに過度に集約的にならざるをえません。それは、原発の本質的な危険性に根差しています。作れる自治体にまとめて作る、しかないのです。

　この問題が社会的に表面化したのは、2007年の新潟中越沖地震の時でした。柏崎刈羽原子力発電所は、原子炉7基を持つ世界最大の原子力発電所です。中越沖地震の際は、運転中の4基が緊急停止し、火災、機器の破損、保管中の放射性物質の漏れ等が発生したことからその後2年近く運転が再開できませんでした。

　これに伴い、東京電力は一気に800万kwを超える電源を失いました。この発電量は、沖縄電力はいうに及ばず、四国、北海道電力それぞれの総発電量を上回るスケールの大規模電源です。

　また、2018年には北海道胆振東部地震の直後に、北海道内

のほぼ全域が停電するという事態が発生しました。

この事故は、当時道内の総電力の約半分を担っていた火力発電所が地震で停止し、本州から緊急の融通を受けたものの供給が追い付かず、稼働していた他の発電所も故障を防ぐために順次停止したことから発生したものです。ひとつの発電所の停止が、北海道全域のブラックアウトにつながったのです。

この事故は、あらためて「電源の集積」がもたらすリスクを顕在化しました。

この間、小規模電力・再生エネルギーの弱点とされてきた安定性、経済性の問題は、劇的な技術の進歩を背景に、徐々に克服されつつあります。選択肢として、「より小規模な電源」を採用しやすい条件が整ってきているといえましょう。

さらに言えば、地域ごとの小規模電力を整備することで雇用が生まれ、地域の維持・再生の要素になりうるという観点もあります。

第11章　原発は環境にやさしいという嘘

1　原発はダーティなエネルギーである

(1)　環境負荷総体を考えるべき

　この間、地球温暖化との関連で、「原発はクリーン」という宣伝が行われてきました。京都議定書やパリ協定は気候変動に関する国際的な約束であり、CO_2を減らすには原発を推進するしかないという主張も行われています。

　先述の「エネルギー基本計画」では、原発は水力と並ぶ「ゼロエミッション電源」という扱いになっています。ゼロエミッションと言うのは、廃棄物がゼロという意味です。

　最初に確認しておくべきは、「CO_2を出さない」ことと「クリーンで環境にやさしい」ことはまったく別ものだということです。前者は後者の一部に過ぎません。仮にCO_2は排出しなくても、他に有害なものを大量に排出していればそれはクリーンとは言えない。ごく当たり前の話です。

　原発は、エネルギーを発生する反応が化石燃料の燃焼では

ありません。したがって反応過程で CO_2 を排出しない、というのはその限りにおいて正しい。しかし、この事実をもって、これを「環境にやさしい」とまでいうのはフレームアップ、誇大広告もはなはだしいと言わざるを得ません。他に有害なものを大量に放出しているからです。

(2) 放射性物質は最悪、他にもさまざまな環境負荷が存在

　現実には、原発は燃料ウランの採掘・精製から始まり運転中の廃熱・温排水などかなりの環境負荷をかけています。温排水の影響も大きく、東日本大震災後の原発停止により海の生態系が元に戻ったという報告もあります。

　最大の問題は放射性物質です。放射性物質は自然界には存在しないものが多く、地球環境総体に大きな影響を与えます。廃棄物の処理も、大きな環境上のリスクをはらんでいます。さらに言えば、事故によって放射性物質が放出された場合、現実的には永久に人の住めない土地を生み出しています。究極の「環境にやさしくない」エネルギーというべきでしょう。

　これらを総体として把握すれば、「原発がクリーン」とは到底言えません。

(3) エネルギー全体の中で電力が占めるのは 20%

　もうひとつ、原子力は基本的に電力にしかならないということにも注意が必要です。「原子力自動車」や「原子力ストーブ」は実現しません。世界の総エネルギーの中で電力が占める割合（電力化率）は 20% 程度であり、この中のさらに数 % を化

石燃料から原子力にシフトしたところで、総体としてのカーボン排出量には実のところ大きくは影響しません。

　二酸化炭素の排出については人類の活動総体が問われる問題です。原発を推進すれば温暖化が止まるかのような議論は「原発を推進するため」の理屈付けにすぎないと言えます。

　原子力で温暖化は止められないのです。

2　地球温暖化を考える

(1)　地球温暖化の進行とそれへの対応は

　原発がクリーンでないことは分かったとして、一方で化石燃料の大量消費による二酸化炭素の放出を放置していいのか、という問題は残ります。石炭火力発電は CO_2 を大量に排出します。これを推進している日本は、世界的にも強い非難を受けています。

　実のところ温暖化の原因はいまだに解明されていない部分が多く、またその影響についても諸説あります。また、地質学的な年代で考えると、自然的な過程として気候が大きく変動してきた事実もあります。

　1万数千年前、地球は氷河期の最後にあたり、海水面は今より100メートル以上下がっていました。日本は大陸と陸続きであり、ベーリング海峡も歩いてわたることができました。

　これらの気候変動とその原因、さらに現在の温暖化ガスに起因する海水面の上昇との関連は今後の研究に待つしかありません。

　しかしながら、これをもって現在のペースで化石燃料を消費し続けてよいということにはなりません。人間の営みが自然環境に大きな負の影響を与える危険性がある以上、予防原則にしたがって抑制的な対応がなされるべきです。

　化石燃料は数億年の年月をかけて作られてきた地球的な財産であり、たかが 300 年程度の[1]エネルギー産出のために使い果たしていいのか、という人類的な課題もあります。基本的には、できる限り早い速度で再生可能エネルギーへの転換を図ることが私たちに課せられた義務であるといえましょう。

(2)　再生可能エネルギーの推進を

　幸いなことに、再生可能エネルギーに関する技術は劇的に進歩しており、国家レベルでとりくみをすすめれば相当程度まで現実に達成できることもはっきりしてきました。すでに、スペインは再生エネルギーだけで総エネルギーの 24％、デンマークは「風力」だけで 38％をまかなっています。

　世界的に急激に進む再生可能エネルギーの転換期にあたり、日本が旧来型の技術に拘泥するあまり新しいビジネスチャンスに乗り遅れているのではないかという問題意識は、すでに産業界にも広がりつつあります。

1　人類が化石燃料を本格的に燃やし始めたのは、産業革命（1770 年ごろ）以降のことです。

第12章 「原発マネー」は社会を劣化させる

　原発の周囲には非常に潤沢な資金がずぶずぶに流れています。「原発マネー」とも呼ばれますが、これを握っているのは政府と電力会社です。

　この資金は、原発を立地した地域やマスメディア、さらには大学などの研究機関にも大量に流れ込み、それらのあり方を規定し、また大きくゆがめてきました。2019年10月に明らかになった関西電力のわいろ事件も、この原発マネーが還流したものです。

　原発マネーの源泉は「税金」と「電気料金」です。政府や電力会社はこの資金を（あまり国民に気付かれずに）効率的に集めるため、二つの特別な制度を採用してきました。ひとつが「電源三法」、もうひとつは「総括原価方式」[1]です。

1　現在進行中の電力システム改革により、今後、総括原価方式は廃止され電気料金は自由化されることになる。そのような競争的な環境下にあって、なお高コストの原発を維持するための政策が検討されている。第10章4参照。

1 原発マネーの源泉は、税金と電気料金

(1) 税金で原発マネーを集める電源三法

電源三法といわれる法律があります。この法律により、次のようなしくみが確立しています。

> 国民が電気を使うたびに自動的に税金が集まり、それが原発を受け入れた地域・個人に交付される。

「電源3法」（電源開発促進税法、電源開発促進対策特別会計法、発電用施設周辺地域整備法）は 1974 年に成立した法律です。水力等も含む電源総体の確保が目的とされていますが、ターゲットは原発です。

この法律は、次のようなしくみになっています。

①電気を使うたびに国民は電気料金に上乗せして「電源開発促進税」を払う。現在は、1kwh あたり 37.5 銭。
②それを特別会計にプールする。現在は「エネルギー対策特別会計」で予算規模は 3500 億円程度。
③その資金を、原発等を受け入れようとする、あるいは受け入れた地域・個人等に「電源三法交付金」として交付する。

簡単に言えば、消費地（都市部）で徴収した税金を過疎地の原発立地自治体に配布するため作られた法律なのです。

資源エネルギー庁のモデルケースによると、出力135万kwの原発新設の場合、運転開始までに481億円、その後の50年間で約1359億円が立地自治体に流れるとされています。

　このエネルギー特別会計のお金は3割程度が文科省にも流れ、核燃サイクルや原発の研究に投入されています。

　今、大学はどこも研究費の不足に悩んでいます。特に「競争的資金」という名目で「企業の役に立つ」研究が重視され、基礎科学の分野はどこも困窮しているのが実情です。このような文科省の政策が日本の将来を危うくすることは、歴代ノーベル賞受賞者が口をそろえて危惧している点ですが、一向にあらたまる気配はありません。

　このような研究機関の現実を考えれば、他と比べれば潤沢に確保されている電源三法由来の研究資金は研究者にとってはとても魅力的なものです。

(2)　すべてを経費に計上できる総括原価方式

　従来、電気料金は「総括原価方式」によって決められてきました。これは、次のようなしくみです。

> 電気料金＝原価＋利益（事業報酬）
> 　電力会社が仮に無駄なものを作ってもぜったいに損はしない（それどころか逆に儲かる！）電気料金の決定方法。

　「総括原価方式」は、ガスや水道など公共料金を決める際に多く使われるやり方で、まず「供給原価」を決め、それに一定

の利益を上乗せして料金を決定する方法です。電気については
この方式を採用することが電気事業法という法律で定められて
います。

このやり方には一般的に言って「中長期的な計画が立てや
すい」等のメリットがある一方、「経営効率化へのインセンティ
ブが経営者に生まれない」「無駄な設備投資をしがち」などの
欠点があると言われています。「無駄な設備投資」をしても
原価として料金に算入してもらえるので、損をしないからです。

電気の場合、この欠点があまりにもはっきり出てしまいま
した。政府と電力会社がこの欠点を悪用したといってもいいで
しょう。

これが企業にとってとてもおいしいやり方なのは誰でもわ
かります。設備費や燃料費、人件費、減価償却費さらには広告
宣伝費（！）まで含めたすべての経費を原価として計上するこ
とができ、その上利益まで保証されています。何をしても、絶
対に損はしない。何を作っても得になる、という事業構造にな
っているわけです。

この総括原価方式こそが電力会社の潤沢な資金を生み出し
てきた源泉です。

各地にある豪華な原発広報館や各種の施設（Jビレッジ！）、
大量に流されるメディアへの広告宣伝などは、すべて「原価」
として電気料金に含まれているのです。

(3)　電力会社は原発を作った方がお得だった

さらに、総括原価方式は電力会社を原発に誘導するための

しくみとしても機能しました。

　電力の総括原価方式では、原価に上乗せする利益は「発電所などの事業資産等と研究開発費の一定割合（3%）」というように定められていました。そうすると、次のようなことが起きます。

　同じ100万kwの発電所を作った場合、原子力と火力では「設備は原子力の方が高い、燃料費は火力の方が高い」という関係にあります。設備の3%が利益となるわけですから、電力会社としては設備の高い原発を作った方が利益が増えることになります。

　加えて、原発の場合には「使用済み核燃料」も資産として計上できます。再処理をすれば新たな燃料となるから、という理屈ですが、この使用済み核燃料の3%も利益に上積みされることになるのです。原発って、おいしい！

　総括原価方式は、「電力会社を原発に誘導するインセンティブ」として機能しました。「原発を作った方がお得」になるわけですから。

　あんなこんなのすべてを経費として電気料金に組み入れ、さらに作ったものの3%を利益として上乗せできる。

　当然の結果として、日本の電気料金は世界的に見てもとても高いものになっています。

2　原発マネーは危険の代償

(1)　原発立地の根っこにある「うそ」

原発は、基本的に過疎に悩む地域に建設されてきました。

故田中角栄首相はかつて「東京に造れないものを造る、造ってどんどん東京からカネを送らせる」と地元柏崎刈羽原発について熱弁をふるいました。

ここにはひとつ、語られていない事実があります。

それは、「東京に造れないものを」というところ。

……何故東京には造れないの？

答えははっきりしています。要するにやはり危険だしダーティだし、東京で事故が起きたらとんでもないことになるだろうし、ということ。これ以外にはありません。田中角栄も誰もはっきり言っていませんが。

原発の立地は、以下の 3 点を前提に行われてきました。

①原発は危険である。
②だから、過疎地に造る。
③その代わりに都会は立地場所にお金を払う。

電源三法はこれを実現するための法律です。

しかし、このうち①は暗黙の了解とでもいうべきものであり、表面的には隠されてきました。むしろ「危険ではない」という宣伝が大量に流されています。そりゃあ、「危険なんで、

過疎地でよろしく」とは言えないでしょう。

　でもこれが嘘なのは最初からはっきりしていました。本当に「危険でない」のであれば、東京だって必死で誘致するでしょうから。

　そして、福島第一原発の事故により、この「うそ」はもっとも不幸な形で現実の問題として露呈してしまいました。

　「東京じゃなくてよかった！」って本当はみんな思っていますでしょう。

　「原発の誘致」そのものが、根っこのところではこのような虚偽の上に成り立ってきました。

　うそをつき続ける人間はダメ人間になりますが、それは社会の場合も同じです。うそを許容し、道徳性を失った社会は劣化します。社会のありようの問題として、私たちはこのことにもっと敏感になるべきでしょう。

　⑵　原発は人・金・仕事を運んできた！
　原発を誘致すれば、立地自治体には潤沢な交付金が入ります。当該地域に住む個人や企業にも、「原子力立地給付金」という電気料金が割引になる特典があります。もちろん財源は、電源三法交付金です。さらに、原発が存在する間は地方税である固定資産税も入り続けます。この結果、例えば再処理施設を持つ青森県六ヶ所村の予算規模は、同程度の自治体の約2倍にも及びます。

　さらには、仕事や、人さえもやってきます。

　福島第一・第二原発では地元から1万1000人を雇用しまし

た。直接的な雇用に加え、自治体は、交付金を使って地域振興という名目でハコモノ建設等に力を注ぎます。付帯する設備工事、機材購入、贈答品等の地元への発注等まで含め、地元経済への波及効果は広範囲にわたります。

　文字通り、「泥田に金の卵をうむ鶴が舞い降りた」のでした。ここまでくれば、地域の多くの人が原発関連の仕事に従事し、あるいはその人々を顧客とする仕事で暮らしていくことになります。表立って原発に反対しにくい雰囲気が高まるのは当然です。

(3)　所詮あだ花原発マネー、その麻薬的効果

　過疎に悩む地域の住民が、原発誘致に走った事情は十分に理解されねばなりません。だれでも豊かで快適な生活を送る権利があります。それ自体は何ら責められるべきことではなく、むしろ生存権を実現することは民主主義社会の要請でもあります。

　そして実際、原発誘致によって地域振興を図るという選択をした地域はそれで潤ってきました。

　しかし、ここにきてそのような「豊かさ」が根底から揺らいでいます。それは、直接的には「福島の事故」と「核燃サイクルの破綻」によりますが、より根本的には、これまで見ないふりをしてきた「原発誘致の根っこにあるうそ」がついに表面化してしまったということでもあります。原発は安全という嘘がばれてしまった、原発はやはり危険だったのです。

　福島の事故により、一時はすべての原発が止まりました。その後、電力会社は再稼働を急いでいますが、現時点で再稼働

したのは9基にすぎません。一方、廃炉を決定したものは20基前後に及んでいます（2019年10月現在）。

福島事故の結果、原発の安全基準が大幅に厳しくなり、これに合わせて大規模な改修を行うと元が取れないからです。

また、核燃サイクルが破綻しつつある今、再処理工場をはじめとする関連施設も将来が見えません。その要である「もんじゅ」は廃炉が決定しました。

今後、「廃炉」「事故処理」が大きな事業として残るとはいえ、「原発建設を軸とする原子力産業」というビジネスモデルはほぼ将来を絶たれたといっていいでしょう。

(4) 原発に依存しない地域づくりを目指そう

これまで原発に依存してきた自治体、地域は、この先それとは違う道筋を考えるべき時期に来ています。実際、安易に再稼働を認めない自治体も各地で増加しています。

一方、旧態依然と原発依存を続ける自治体もあります。

2014年10月、震災後の再稼働第一号となったのは川内原発でした。再稼働に同意を表明した薩摩川内市長は「日本の経済発展のため、国が責任をもって再稼働させられる原発は動かしてほしい」と発言しました。議会は再稼働賛成の陳情を採択しています。陳情書では再稼働について「疲弊する地域経済の活性化につながる」としています。原発に頼っていた自治体が現実に存在する事故の危険性に目をつぶり、ますます原発依存体質にはまっていく状況が見てとれます。

原発マネーは麻薬的な効果を持ちます。一見地域は潤いま

すが、地域をお金漬けにし、それ以外の選択肢を奪います。地域に住む人の意識が「原発さえあれば」「原発しかない」となったとき、それとは違う、地元に根付いた産業を育成しようというオルターナティブは生まれづらくなるでしょう。

⑸　**再稼働を狙って新たな補助金が作られた**

　原発立地自治体に支払われてきた国の補助金が、2017年度から、原発から半径30キロ圏内の周辺自治体にも支払われように変更されました。17年度は周辺16自治体に約5億円が支払われています。ここには、30キロ圏内にある再稼働に慎重な自治体に対し、再稼働容認の動きを強める意図があります。実際、玄海原発の30キロ圏内にある福岡県糸島市はこれまで再稼働への態度を留保してきましたが、補助金交付決定の3日後に容認に転じました。「問題解決は金の力で」という露骨な姿勢が見える対応であり、本質的な問題解決に資するとはとても思えません。

3　「原発推進の世論対策」に流れ込む原発マネー

⑴　**電力会社は宣伝活動に巨額な資金を投入してきた**

　原発マネーは、世論対策にも投入されてきました。事故以前、東京電力の宣伝費は「日本の全企業のベストテン」に入るレベルの額でした。この間の総宣伝費は2兆4000億円という試算もあります。

　従来、電力会社は地域独占でしたから競争相手はおらず、

「宣伝」の必要性は薄かったはずです。「総括原価方式」で無尽蔵にお金を使えるとはいえ、投入されてきた金額は非常識ともいえる規模になっています。なぜ巨額の宣伝費を使ってきたのか。

これには次の二つのねらいがあります。

①メディアを通じ、原発は安全、安価、クリーンなどという虚構を国民に定着させたい。
②多額の広告を出稿するスポンサーとして、メディアに対する統制力を強めたい。

(2) 国家レベルで嘘をつき続けるのはとてもお金がかかる

この間電力会社は専門家、俳優など有名人を使い、テレビ、新聞、雑誌等を通じて原発推進のキャンペーンを行ってきました。このための人選や方法論は洗練されており、電通や博報堂など強力な「世論対策会社」を使いながら意識操作レベルのキャンペーンを続けてきたことが分かっています（本間龍 2016）。

また、「教育」も重要なターゲットとされてきました。

原子力文化振興財団などの外郭団体を通じて教員や生徒対象の原発の見学会、セミナー、シンポジウム、幼児・低学年向きの紙芝居、パンフやリーフなど多岐にわたる活動が行われてきました。『放射線副読本』もこの一環といっていいでしょう。

かつて、全国の幼稚園、保育園に「原発推進」の紙芝居が配布されたこともあります。これだけでもどれほどの予算が必要かを考えてみれば、活動の規模と広がりが想像できます。

(3)　原発マネーでメディアを支配

　多くのメディアは基本的に民間企業であり、情報を買ってもらうことで営業が成り立っています。テレビなら電波、新聞や雑誌なら紙面を買ってくれるスポンサーには基本的に頭があがりません。

　電力会社が多額の広告費を使うもう一つの目的は、スポンサーとしてのポジションを強化し、それによって自分たちに有利な報道を促し、不利な報道を押さえるためです。とりわけ、財政基盤が弱く、相対的に「電力会社の存在」が大きい地方紙にとっては、安定的で出稿量の多い電力会社の支配力は強力です。

　ここ数年、日本のメディアは「忖度」によって劣化し始めていると言われています。政府批判を避け、むしろその広報機関のようにふるまうメディアさえ見受けられる危機的な状況があります。

　東京電力は、福島の事故後しばらく自粛していた新聞への出稿を 2015 年から再開しています。今後も厳しい目で監視していく必要があります。

4　隠蔽される原発情報

(1)　福島事故の情報は隠された

　原発の推進を目的とする宣伝が大量に流される一方、都合の悪い情報は隠

され、国民の目に触れさせない動きが強まっていることにも注意が必要です。

　原子力基本法の３原則は「公開・民主・自主」ですが、これに反し、原発の推進にとってマイナスになる情報の公開についてはさまざまなレベルで強い圧力がかかっています。

　その端的な例は、福島原発事故のケースでしょう。第３章でも述べた通り、当時の政府・保安院・東京電力は、「直ちに健康に影響はない」「広範囲の避難は必要ない」と言い続けました。一方で、放射能の拡散状況を示す「SPEEDI」の情報は、国民・住民には最後まで知らされませんでした。「SPEEDI」とは、「緊急時迅速放射能影響予測ネットワークシステム」の略で、まさにこのような時のために造られたシステムでした。

　また炉心のメルトダウンについても、東京電力が公式にこれを認めたのは事故発生後２カ月もたった５月12日のことです。

　まさにメルトダウンが進行していたその時に、テレビに出演していた「原子力工学の専門家」が「深刻な事態ではない」ことを繰り返しコメントしていたことを、国民は決して忘れてはならないでしょう。

　⑵　黒塗り文書が増えている……昔は公開、今は秘密に

　ここのところ、「情報公開請求」などで請求された文書に対し、「あるかないかも答えない」「開示してもほとんどが黒塗り」というケースが頻発しています。また、裁判の証拠提出などでも、同じようなケースが増加しています。

例えば、福島事故後に新たに発足した原子力規制委員会は、過去に公開されていた情報を隠し始めています。

2012年、規制委は「発電用原子炉施設に関する耐震設計審査指針」を、ほぼ全てを黒塗りで開示しました。実はこの文書は2006年4月に当時の原子力・安全保安院が原子力安全委員会に送った文書と中身は同じであり、当時は全て読めたものです。しかし、2012年には、表題と数行以外は、黒く塗りつぶされていました。

規制委は黒塗りの理由を「国の訴訟に対処するための方針が含まれている。公にすることで国の訴訟当事者としての地位を不当に害する恐れがある」としています。

(3) 秘密保護法で原発情報を更に隠す

原発の情報については、実は以前からも「企業秘密」や「テロ対策」等を理由に秘密だらけでした。

核のごみ処分場に関する情報、MOX燃料の輸送に関する出航日・輸送ルートなどの情報、玄海原発・高浜原発におけるプルサーマル燃料の安全性に関する資料、再処理工場の施設の情報などなど枚挙にいとまがありません。

2013年11月、特定秘密保護法が成立しました。これにより、原発関連情報にはこれまで以上にアクセスできなくなっていると想定されます。

「想定される」と書いたのは、何が「特定秘密」にされているのかさえ分からないから。「何が秘密？　それも秘密」な法律だからです。

特定秘密を指定するのは「行政の長」です。法の施行日には、41万件が特定秘密に指定されましたが、その中身はわかっていません。まったくのブラックボックスです。しかし、その中に原発情報も入っていることは間違いありません。

　原発情報が入っていると想定できる根拠は、特定秘密の範囲に「テロ行為」というカテゴリーがあるからです。

　誰が見ても、原発はテロ行為の絶好のターゲットです。法案を所管した内閣情報調査室も、原発情報が特定秘密になりうることを認めています。

5　原発は監視・管理社会を招く

　第8章で見た通り原発、ウラン濃縮工場、再処理工場などの核関連施設は、端的に言えば「テロリスト」にとって格好の攻撃目標です。「少量でも致命的に強力な毒物」が大量に集積しており、かつ「軍事基地ほどの防御はされておらず、また防御することも不可能」なターゲットだからです。襲いやすい上に、国家レベルで破滅的な効果を得られる得難い攻撃目標です。海外では軍隊レベルの防衛隊が配備されています。

　それ故、必然的に機密対策も厳重になります。施設はもちろん、そこに働く人々、地域の住民も厳重に監視しなくてはなりません。「テロリスト」が混じりこんでいるかもしれませんから。

　「安全」のレベルを上げようとすれば、「監視・管理」を強化し、「情報の隠ぺい」をせざるをえない、というのが原子力技

術のかかえる構造であり、根本的な欠陥のひとつです。

　「技術」というものの評価は、工学的な観点だけではありません。「その技術が社会にとってどういう影響を与えるのか」ということも重要なポイントです。そういう意味で、原発は「開かれた社会」をつき崩す、「民主主義」の根幹と矛盾する技術体系といってもよいでしょう。

教えてよぉ〜

第13章　原発はオワコン……なのになぜ固執するのか

　ここまでの各章を読んでいただいた皆さんにはもうお分かりでしょう。原発に未来がないことは、実は誰の目にも明らかになっています。日本の国民だって、6割以上が脱原発を望んでいます。そう、原発はもうオワコン（終わったコンテンツ。時代遅れ）なのです。

　世界的にも、先進国を中心に脱原発にかじを切る国が増えています。それでやっていける、というよりも、その方が経済的に優位に立てると判断したからです。国際的なエネルギー確保の主戦場はもはや再生可能エネルギーに移行しており、その分野では熾烈な競争が行われています。

　そんな中、オワコンである原発に固執する日本の姿はかなり特異です。当然、次世代エネルギーの技術開発では大きく後れを取っています。

　この最終章では、そんな危機的な事態であるにも拘わらず、なぜ日本政府や財界がこの期に及んでいまだに「原発」に固執するのか、脱原発に踏み切れないのか、という「謎」に迫って

みたいと思います。

1　原子力ムラという利権集団

「原子力ムラ」という言葉があります。正確な定義があるわけではありませんが、「原発マネーに群がり、原発を推進しようとする利権集団」というほどの意味で使われています。

　具体的には、「研究者」「電力会社」「東芝、三菱、日立などを頂点とする原子力産業」「官僚・政治家」「マスコミ」など、原子力推進に関わってきた人々が形成するコミュニティのことです。電力会社の労働組合である「電力総連」などもここに含まれるといっていいでしょう。もちろんそこには「原発マネー」が潤沢に流れ込んでいます。

　彼らには、「権力」と「潤沢な資金」があり、さらには原子力工学という「専門性」（ここは、カッコつきの専門性……です）にも守られています。第12章でも述べた通り、この間日本社会のあちこちに食い込んで原発を推進し、日本社会を劣化させてきました。

　もちろん、彼らはまだ原発推進の旗を降ろしていません。それはなぜなのか、もう少し詳しく中身を見ていきましょう。

2　電力会社としては既存の原発を何とか動かしたい

　電力会社が原発を捨てられない理由は比較的はっきりしています。電力会社は基本的に原発を買って使うユーザーであり、

高い買い物をしたのに使えないのは困るというわかりやすい話です。

　原発は、装置産業です。発電所の建設、維持に多くのコストがかかりますし、燃料もウランを採掘・精製し燃料に加工した上で３年程度は連続して使用されます。ここまでに、発電コストの大半がかかっています。

　逆に言えば、「作って燃料を入れてあるのに動かせない」状況は最悪で、膨大なコストはかけてしまったのにまったく収益を生まない状況にある、ということです。

　電力会社が「とにかく再稼働を」と主張するのはこのような理由によります。そりゃあ動かしたいでしょう。

　さらに付け加えれば、仮に「脱原発」となった場合、電力会社の財務が一気に毀損することが想定されます。「原子力発電所」も「燃料棒」もさらには「使用済み核燃料」も電力会社にとって現時点では「資産」です。東京電力の固定資産は10兆円を少し超える程度ですが、このうち1.5兆円が原発の施設と燃料です。原発をやめたとたんに、この資産がすべて消失することになります。企業経営上は大きなダメージであり、普通の会社であれば当然役員の責任問題にもなるでしょう。

　とはいえ、実は「その程度の話」なのです。これらはあくまで電力会社の収益、財務の話に過ぎません。

　資金を投入したものの収益が上がらず倒産した会社など山のようにあります。むしろ、的外れの投資をした会社が大失敗をし、マーケットからも拒否されているのに国策で居残ってい

る、というのが電力業界の現状です。

2018年2月、東京電力は他社に先駆けて「再生可能エネルギーを事業の柱に育てる」という方針を打ち出しました。電力会社自身、既存原発の再稼働には固執しつつも、それだけでは将来たち行かなくなることを予想しているのです。

3　原子力産業もマーケットを失いつつある

日本で原子力発電所を作ってきたのは、東芝、三菱、日立の3社でした。ただ、原子力産業のすそ野は広く、大手建設会社から地場の土建業まで含めて原発マネーは広く業界を潤してきました。

現在、世界的に原発産業は退潮しています。アメリカの原発企業ウエスチングハウスを買収した東芝は経営危機におちいり原発建設から撤退しました。

今後は「廃炉」が主たる事業になると予想されます。フランスの原発企業のアレバも破たんしました。安倍政権の押し進めた原発輸出もイギリス、ベトナム、トルコなど軒並み失敗しています。

失敗した原因は、「コスト」です。いろんな工夫をしたものの、つまるところ値段が高すぎて買ってもらえなかったということなのです。

原発がコスト競争力を失いつつあることを一番痛切に感じているのは、当の企業でしょう。

2019年1月、経団連の中西宏明会長（日立製作所会長）は、

新聞のインタビューで次のように述べました。

　　「国民が反対するものは作れない。全員が反対するもの
　　をエネルギー業者や日立製作所といったベンダーが無理
　　に作ることは民主国家ではない」（東京新聞2019年1月5
　　日）

　一方、その後の経団連の記者会見では、次のようにも述べ
ています。

　「原発の再稼働はどんどんやるべきだ」
　　　　　　　　　　　　　　　　（東京新聞2019年1月15日）

　この10日あまりの間に何があったのか、いろいろな憶測が
飛んでいますが、この二つの発言は実は矛盾しません。要する
に「今あるプラントは動かしたい、新しく作るのはちょっと無
理そうかも」という判断です。
　収益性の悪化した事業を継続することは、企業にとっては
大きなリスクです。日本の原子力産業にとって、「原発の建設」
はすでにそれほど魅力的な事業ではありません。
　一方、建設とは異なり、原発の「保守管理」は原子力産業
にとって大きな事業の柱になっています。廃炉も当然この延長
線上にあり、今後「廃炉専門会社」も設立されるでしょう。
　廃炉については「やり方さえ開発中の段階」ですが、視点
を変えれば事業として青天井であり、無限の可能性があるとい

うことです。

4　脱原発の最大の抵抗勢力は政府

⑴　政府が舵を切れば脱原発はすぐにできる

　実は、「脱原発に対する最大の抵抗勢力」は現政府です。

　日本の原発は「国策民営」と言われてきました。第 12 章で
も述べた通り、政府が音頭を取って様々な法律、財政的な優遇
措置を整備する中で原発は推進されてきました。

　逆に言えば、政府が脱原発にかじを切れば、あとはそれに
ついてくるのです。

　歴史的には、日本政府は民主党政権時代にいったん脱原発
を目指しますが、その後の安倍政権は原発を「ベースロード電
源」と位置づけ、ふたたび推進に転じました。

　小泉元首相は、退任後に脱原発を主張し始めた方ですが、
繰り返し「脱原発はやればできる。現政権は踏み切るべきだ」
ということを語っています。政治の世界を知り尽くした方の発
言ですから、「やればできる」のはその通りなのでしょう。

　ではなぜ安倍政権は「脱原発」に政策転換しないのか。次
の二つの理由が考えられます。

⑵　政府は原子力ムラの個別利益を体現し擁護している

　すでに見たように、電力会社や原発産業は、とりあえずの
収益を考えれば原発を再稼働し、当面は運転を続けることがそ
の利益にかなっています。これは短期的、個別的な利益に過ぎ

ず、長いスパンで社会全体の利益を考えた判断ではありません。

　しかし、原子力ムラは強力な利権集団ですから、その浸透力、影響力も強力です。すでに第12章で見たように、教育やメディアを含めた多くの分野に浸透し、「原発は必要」という意識操作を行ってきています。

　現政権の中枢は経産省出身の官僚が大きな力を持っています。安倍内閣は、原子力ムラの個別利益をそのまま体現し、擁護している政権だといっていいでしょう。

(3)　政府は潜在的核保有国でありたいと思っている

　実は、原発の技術は軍事技術と一体のものです。

　そもそも、歴史的には話の順序が逆で、原子力エネルギーが最初に「実用化」されたのは広島、長崎の原爆でした。原発は、その製造過程のウラン濃縮技術を流用して開発された経緯があります。これが、原子力の「平和利用」です。

　したがって、ウラン濃縮工場、再処理工場などは軍事技術と直結しています。原発の核燃料である濃縮ウランをつくる工場は、ヒロシマ型原爆の原料を作り出すことができます。原発の使用済み核燃料を再処理してプルトニウムを取り出す工場は、長崎型原爆につながる工場と言えます。

　要するに、ウラン、プルトニウムなどの核分裂物質と濃縮技術を保有していれば、その気になれば核兵器を作れるということでもあるのです。

　そして、日本の一部の政治家は、「いざとなれば」核爆弾を製造できる状況を維持したいと考えています。かれらはこの意

図を隠していません。

　いくつか具体的な発言を紹介します。

　　　「核の潜在的抑止力を維持するために、私は原発をやめ
　　るべきとは思いません。(中略) 原発を維持するということ
　　は、核兵器を作ろうと思えば一定期間のうちに作れると
　　いう核の潜在的抑止力になっていると思います」(石波茂
　　SAPIO 2011 年 10 月 5 日)
　　　「核の技術を持っているという安全保障上の意味はあ
　　る」(塩崎恭久　東京新聞 2012 年 6 月 21 日)

　この問題で見逃せないのは、2012 年の原子力基本法の改正
です。この際には、2011 年の福島第一原発事故を受けて「原
子力規制委員会」を設置する等の法改正が行われていますが、
その際次の条項 (第二条 2) が付加されています。

　第二条　原子力利用は、平和の目的に限り、安全の確保を
　　旨として、民主的な運営の下に、自主的にこれを行うも
　　のとし、その成果を公開し、進んで国際協力に資するも
　　のとする。
　2　前項の安全の確保については、確立された国際的な基
　　準を踏まえ、国民の生命、健康及び財産の保護、環境の
　　保全並びに我が国の安全保障に資することを目的として、
　　行うものとする。

このアンダーラインの部分は当時野党であった自民党の提案で付加されたものです。文章の整合性など無理やり入れた感がぬぐえませんが、原子力利用に際しては「安全確保を旨とし」それについては「我が国の安全保障」を考慮すべきだということが法的に規定されているのです。

　これをもって直ちに原子力の軍事利用が促進されるとまでは言えないにせよ、拡大解釈の危険性も含めて注視しておくべき条文です。

5　日本は核を持たない国になろう

　現在、世界で核兵器を所有している国は9カ国と言われており、このうちNPT（核拡散防止条約）で国際的に保有を認められているのはアメリカ、ロシア、イギリス、フランス、中国の5カ国です。

　「核武装をしたい」「潜在的核保有国」でありたいと望む一部の政治家は、このような核クラブの末席に連なりたいと渇望しているのです。

　言うまでもないことですが、ある国が核兵器を保有しているかどうかとその国の国民の幸福とは何の関係もありません。「核兵器の所有」を国際政治上の交渉カードとして用いている国があるのは事実です。しかしそれはそれだけのことであり、そういう国はこの時代にあって尊敬されていません。ほかにもカードはいくらでもあるからです。

　世界的には、日本の保有するプルトニウムが核拡散につながるのではないかという疑念も持たれています。東アジアにおいて日本が核武装を志向すれば、それは日本だけの問題にとどまりません。当然、他の国も核武装に向かうことが懸念され、ひいては東アジアで軍拡競争を引き起こすことにもなるでしょう。

　このような状況を踏まえれば、日本は、むしろ世界的な核廃絶を展望しながら、「核を持たないけれども存在感のある尊敬される国」を目指すべきでしょう。

　そして、それは可能です。

　現在の「核抑止力論」を無批判に前提として「核抑止力」を得ようとし、そのために原発を維持しようという逆立ちした発想はけっして東アジアの平和と繁栄に役立ちません。

参考文献

第1章

石橋克彦『原発震災 警鐘の軌跡』七つ森書館、2012年
原子力市民委員会『原発ゼロ社会への道2017年』同委員会刊、2017年

第2章

河田昌東『チェルノブイリと福島』緑風出版、2011年
広井勝「福島県内における野生きのこの放射性セシウム濃度の動向」『日本菌学会第63回大会講演要旨集』所収、日本菌学会、2019年
中西友子『土壌汚染フクシマの放射性物質のゆくえ』NHKブックス、2013年
みんなのデータサイドマップ集編集チーム編『図説17都県放射能測定マップ＋読み解き集』みんなのデータサイド出版、2018年
山田耕作、渡辺悦司『福島事故による放射能放出量はチェルノブイリの2倍以上』www.acsir.org/data/0714_acsir_yamada_watanabe_003.pdf（2014年）
農林水産省「農産物に含まれる放射性セシウム濃度の検査結果」http://www.maff.go.jp/j/kanbo/joho/saigai/s_chosa/
福島県「福島県農林水産物・加工食品モニタリング情報」https://fukumegu.org/ok/contentsV2/kome_summary_2.html　http://www.acsir.org/data/0714_acsir_yamada_watanabe_003.pdf（2014年）
早川由紀夫　Yukio Hayakawa's Volcano Blog

第3章

東京電力福島原子力発電所事故調査委員会『国会事故調報告書』同委員会刊、2012年
宗川吉汪『福島甲状腺がんの被ばく発症』文理閣、2017年
福島県「県民健康調査」検討委員会HP　https://www.pref.fukushima.lg.jp/site/portal/kenkocyosa-kentoiinkai.html
Hagen Scherb,K.Mori,K.Hayashi.Insreases in perinatal mortality in prefectures contaminated by the Fukushima nuclear power plant accident in Japan-A spatially stratified longitudinal study.Medicine

95:e4958（2016 年）

青木美希『地図から消された街』講談社、2018 年

原子力市民委員会『原発ゼロ社会への道』同委員会刊、2014 年

山田國廣『初期被曝の衝撃』風媒社、2017 年

放射線被ばくを学習する会HP　http://anti-hibaku.cocolog-nifty.com/blog/

明石昇二郎『福島県で急増する「死の病」の正体を追う』月刊宝島、2014
　　年 10 月号

中地重晴ら『水俣学の視点からみた福島原発事故と津波による環境汚染』
　　大原社会問題研究所雑誌 No661、2013 年

都高教公害対策委員会『原子力発電を考える』東京都高等学校教職員組合、
　　1985 年

第 4 章

木村壮『原発労働者のピンハネの責任を問う』原子力資料情報室通信
　　No.497、2015 年

原子力資料情報室『原子力市民年鑑 2016-2017』七ツ森書館、2017 年

被ばく労働を考えるネットワーク編『原発被ばく労災』三一書房、2018 年

渡辺美紀子他『資料労働者被曝データ』原子力資料情報室通信 No.412 ～
　　No.546、2008 年～ 2019 年

原子力規制庁『原子力施設に係る放射線管理者等報告について』http://
　　www.nsr.go.jp/data/000170309.pdf

被ばく労働を考えるネットワークＨＰ　http:/www.hibakurodo.net

第 5 章

市川定夫『新・環境学Ⅲ』藤原書店、2008 年

落合栄一郎『放射能は人類を滅ぼす』緑風出版、2017 年

落合栄一郎『放射能と人体』講談社ブルーバックス、2014 年

医療問題研究会編『低線量・内部被曝の危険性 その医学的根拠—』耕文
　　社、2011 年

ゴフマン・Ｊ・Ｗ『新装版人間と放射線』明石書店、2011 年

名取春彦『放射線はなぜ判りにくいのか』あっぷる出版社、2013 年

バンダジェフスキー『放射性セシウムが人体に与える医学的生物学的影
　　響』合同出版、2011 年

肥田舜太郎『内部被曝』扶桑社新書、2012 年

本行忠志「放射線の人体影響—低線量被ばくは大丈夫か」『生産と技術』
　　第 66 巻、2014 年

渡辺悦司・遠藤順子・山田耕作『放射線被ばくの争点』緑風出版、2016 年

Cardis E. et al. The 15-Country Collaborative Study of Cancer Risk among Radiation Workers in the Nuclear Industry: estimates of radiation-related cancer risks.Radiation research 167（2007 年）

Christian C YoungThe environment and science : social impact and interaction Calif,（2004 年）

Krestinina L.Y.et al. Solid cancer incidence and low-dose-rate radiation exposures in the Techa River cohort: 1956–2002 International Journal of Epidemiology36（2007 年）

Matheus J.D. et al. Cancer risk in 680 000 people exposed to computed tomography scans in childhood or adolescence: data linkage study,BMJ346（2013 年）

Spycher et al. Background Ionizing Radiation and the Risk of Childhood Cancer.A Census-Based Nationwide Cphort Study, Environ Health Perspect;Feb23（2015 年）

第 6 章

活断層研究会『新編日本の活断層　分布図と資料』東京大学出版会、1991 年

鈴木康弘『原発と活断層』岩波科学ライブラリー 212、岩波書店、2013 年

遠田晋次『活断層地震はどこまで予想できるか』講談社ブルーバックス、2017 年

須藤靖明『原発と火山』櫂歌書房、2014 年

巽　好幸『富士山大噴火と阿蘇山大爆発』幻冬舎新書、2016 年

日本地質学会『はじめての地質学』2017 年

高木秀雄『日本の地質と地形』誠文堂新光社、2017 年

日本火山学会『巨大噴火の予測と監視に関する提言』2014 年

堤　之恭『絵でわかる日本列島の誕生』講談社、2014 年

日本地質学会『日本列島と地質環境の長期安定性』2011 年

国土地理院　地殻変動情報ＨＰ　https://www.gsi.go-jp

第 7 章

原子力規制委員会『炉内等廃棄物の埋設に係る規制の考え方について』2016 年

原子力市民委員会『原発ゼロ社会への道』同委員会刊、2014 年、2017 年

地学団体研究会・科学的特性マップを考える会『高レベル放射性廃棄物はふやさない、埋めない』地団研ブックレット 13、2019 年

土井和巳『日本列島では原発も「地層処分」も不可能という地質学的根拠』合同出版、2014年
日本学術会議『高レベル放射性廃棄物の処分について』2012年
大和愛司『なぜ再処理するのか] エネルギーフォーラム新書26、2014年
吉田英一『地層処分』近未来社、2012年
東京新聞2015年8月19日付「核のごみ　危うい最終処分」
NUMO HP　https://www.numo.or.jp/

第8章
山田太郎「原発を並べて自衛戦争はできない」季刊誌『リプレーザ』No.3、2007年夏号（山田太郎は小倉志郎の筆名）
小倉志郎『元原発技術者が伝えたいほんとうの怖さ』彩流社、2014年

第9章
原子力市民委員会『特別レポート5』『原発の安全基準はどうあるべきか』2017年
後藤政志『原発をつくったから言えること』クレヨンハウス、2011年
畑村洋太郎『危険不可視社会』講談社、2010年
畑村洋太郎『失敗学のすすめ』講談社、2005年

第10章
大島堅一『原発のコスト』岩波新書、2011年
大島堅一『原発はやっぱり割に合わない - 国民から見た本当のコスト』東洋経済新報社、2012年
大島堅一『エネルギー基本計画での原発の位置づけ』原子力市民委員会フォーラム、https://www.ccnejapano.com/（2019年）
大島堅一「原発の本当のコストを評価する」『世界』2019年7月号、岩波書店
「暴走する国策エネルギー　原子力」『週刊東洋経済』2011年6月11日号、東洋経済新報社
「東芝解体」『週刊東洋経済』2017年2月4日号、東洋経済新報社
「電力激変」『週刊東洋経済』2018年3月31日号、東洋経済新報社
「脱炭素時代に生き残る会社」『週刊東洋経済』2019年5月18日号、東洋経済新報社
国際再生可能エネルギー機関『世界のエネルギー転換：2050年までのロードマップ』https://www.irena.org/publications/2019/Apr/Global-

energy-transformation-A-roadmap-to-2050-2019Edition（2018）

資源エネルギー庁『エネルギー基本計画』2014年　https://www.enecho.
　meti.go.jp/category/others/basic_plan/pdf/140411.pdf

資源エネルギー庁『エネルギー基本計画』2018年　https://www.enecho.
　meti.go.jp/category/others/basic_plan/pdf/180703.pdf

エネルギー環境会議『コスト等検証委員会報告書』http://www.cas.go.jp/
　jp/seisaku/npu/policy09/pdf/20111221/hokoku.pdf（2011年）

三上元ブログ　https://pikagen.hamazo.tv/

電気事業連合会HP　https://www.fepc.or.jp/

第11章

京都議定書 https://www.env.go.jp/earth/cop6/3-2.html（1997年）

パリ協定 http://www.env.go.jp/earth/ondanka/cop21_paris/paris_conv-
　a.pdf（2015年）

第12章

本間龍『原発プロパガンダ』岩波書店、2016年

本間龍『電通巨大利権』サイゾー、2017年

「東京電力　偽りの延命」『週刊東洋経済』2012年2月18日号、東洋経済
　新報社

添田孝史「大丈夫か原子力規制委」『AERA』2017年7月5日号、朝日新
　聞出版

中野洋一「原発産業のカネとヒト」『社会文化研究所紀要』九州国際大学
　（2012年）

復興庁「放射線のホント」www.fukko-pr.reconstruction.go.jp/2017/
　senryaku/pdf/0313houshasen_no_honto.pdf

核燃サイクル阻止1万人訴訟団『核燃料サイクル施設と原発』2016年

第13章

飯田哲也他『「原子力ムラ」を超えて　ポスト福島のエネルギー政策』
　NHKブックス、2011年

吉岡斉『新版原子力の社会史　その日本的展開』朝日選書、2011年

吉野源太郎「『3.11』から6年の『被災地』『原子力ムラ』『日本社会』新潮
　社フォーサイト、2017年3月10日

あとがき

　私たちは福島の原発事故をリアルタイムで経験してしまいました。

　2011年のあの日、原子力工学の「専門家」がテレビに登場し、「炉心の健全性は失われていません」と言い続けていた光景を忘れることはできません。

　炉心溶融が想定される事態に陥った時、キャスターが「どうも水位が燃料棒より下がっているようですね」と平然とコメントしていたことも忘れられません。彼は、それが意味することをまったく理解していませんでした。高等学校の教員として、いったい私たちは何を教えてきたのだろうと考えこんでしまいました。

　この本は、原発を作ってきた技術者と、その問題点を子どもたちにきちんと伝えきれなかった教員の、それぞれの痛苦な反省の上に成り立っています。

　同じことを二度繰り返すのは、何としても避けねばなりません。

　読んでいただいたみなさんといっしょに、脱原発を目指していきたいと心から願っています。

　なお、第3章、第5章について崎山比早子氏より貴重なご助言をいただきました。心より感謝申し上げます。

各章の執筆分担は次の通りです。

後藤　政志　　第 1 章、第 9 章
後藤　康彦　　第 2 章、第 3 章、第 4 章、第 5 章
青谷　知己　　第 6 章、第 7 章
小倉　志郎　　第 8 章
草野　秀一　　第 10 章、第 11 章
山際　正道　　第 12 章、第 13 章
イラスト　佐伯　典子
編　　集　草野　秀一

2020 年 1 月 15 日

草野秀一

[著者略歴]　　　　　　　　　　　　　　　　　　　　　　　　　（五十音順）

青谷知己（あおたに　ともき）
　1957年山口県生まれ。都立府中高等学校　地学科教諭。東京都高等学校教職員組合「公害」部会世話人。赴任先の三宅島で、2000年噴火・避難を経験。現在は居住するあきる野市や府中市で「ジオ」の普及活動に取り組んでいる。

小倉志郎（おぐら　しろう）
　1941年東京都生まれ。元原発技術者。35年間、原発の設計、建設、保守に携わる。著書:「原発を並べて自衛戦争はできない」（『リプレーザ』2007年夏号）『元原発技術者が伝えたいほんとうの怖さ』彩流社。

草野秀一（くさの　ひでかず）
　1954年三重県生まれ。元都立高校教員（社会科）。東京都高等学校教職員組合、都労連、日教組などの役員を経て、現在は団体役員。NPO法人APAST事務局長。

後藤政志（ごとう　まさし）
　1949年東京都生まれ。元原子力プラント技術者。福島原発事故以降、原発の危険性について発言。元ストレステスト意見聴取会委員。原子力市民委員会委員。APAST理事長。著書：『「原発をつくった」から言えること』（クレヨンハウス2011）他。

後藤康彦（ごとう　やすひこ）
　1946年東京都生まれ。元都立高校教員（理科・生物）。放射性Cs測定用のきのこを千葉県、茨城県、富士山などで採集。原子力資料室会員、都高教退職者会幹事、菌類懇話会事務局、茨城県きのこ博士館相談員、日本菌学会会員。

山際正道（やまぎわ　まさみち）
　1945年東京都生まれ。元神奈川県立高校教員（社会科）・神奈川県高等学校教職員組合本部役員・横浜地方裁判所労働審判員。現在は労働者等支援活動等に従事（神奈川労働相談ネットワーク、福島子ども・こらっせ神奈川、戦争法裁判を支援する会）。

[連絡先]

だんごの会
〒101-0003
東京都千代田区一ツ橋2-6-2　日本教育会館5F
東京都高等学校教職員組合気付

原発は日本を滅ぼす

2020 年 2 月 20 日　初版第 1 刷発行		定価 1800 円 + 税
2020 年 3 月 15 日　初版第 2 刷発行		

著　者　青谷知己・小倉志郎・草野秀一・
　　　　後藤政志・後藤康彦・山際正道 ©

発行者　高須次郎

発行所　緑風出版

　　　　〒 113-0033　東京都文京区本郷 2-17-5　ツイン壱岐坂
　　　　［電話］03-3812-9420　［FAX］03-3812-7262［郵便振替］00100-9-30776
　　　　［E-mail］info@ryokufu.com［URL］http://www.ryokufu.com/

装　幀　斎藤あかね

制　作　Ｒ企画　　　　　　　　　　印　刷　中央精版印刷・巣鴨美術印刷
製　本　中央精版印刷　　　　　　　用　紙　中央精版印刷・巣鴨美術印刷　　E1200

原発フェイドアウト

筒井哲郎著

四六判上製
二七三頁
2500円

福島で進行しつつある施策は上辺を糊塗するにとどまり、将来に禍根を残し、現政権は原発推進から方向転換する見識がない。私たちの社会で、合理的な選択を行うにはどうすべきか。プラント技術者の視点で本質を考える。

東京五輪がもたらす危険
いまそこにある放射能と健康被害

東京五輪の危険を訴える市民の会編著、渡辺悦司編集

A5判並製
二二六頁
1800円

2020年東京オリンピックの開催が、参加するアスリートや観客・観光客にもたらす放射線被曝の恐るべき危険性を警告するための緊急出版！東京オリンピックの危険を警告し、開催に反対する科学者・医師・避難者・市民の声！

原発のない未来が見えてきた

反原発運動全国連絡会編

四六判並製
一三六頁
1200円

一九七八年『はんげんぱつ新聞』が創刊。スリーマイル島原発事故、チェルノブイリ原発事故そして福島第1原発事故……うちのめされても、あきらめず『はんげんぱつ新聞』は500号を迎え、原発のない未来が見えてきた。

反原発運動四十五年史

西尾漠著

四六判上製
三三四頁
2500円

反原発運動は、建設予定地での農漁民、住民運動から、スリーマイル島原発事故、チェルノブイリ事故を経て、福島第一原発事故によって、大きな脱原発運動へと変貌した。『はんげんぱつ新聞』編集長による最前線の闘いの45年史！

◎緑風出版の本

■全国どの書店でもご購入いただけます。
■店頭にない場合は、なるべく書店を通じてご注文ください。
■表示価格には消費税が加算されます。

脱原発の市民戦略
真実へのアプローチと身を守る法

上岡直見、岡將男著

四六判上製
二七六頁
2400円

脱原発政策やエネルギー政策の面からも不要という数量的な根拠と、経済的にもむだだということを明らかにすることが大切。具体的かつ説得力のある市民戦略を提案。

脱原発実現には、原発の危険性を訴えると同時に、原発

脱原発の経済学

熊本一規著

四六判上製
二三二頁
2200円

脱原発すべきか否か。今や人びとにとって差し迫った問題である。原発の電気がいかに高く、いかに電力が余っているか、いかに地域社会を破壊してきたかを明らかにし、脱原発が必要かつ可能であることを経済学的観点から提言。

電力改革の争点
原発保護か脱原発か

熊本一規著

四六判上製
二三四頁
1600円

「電力システム改革貫徹」がいかに違法、かつ有害無益な「電力改革妨害」策かを、また、膨大な「放射能で汚染された廃棄物・土壌」の処理をめぐる国政が、国民の健康への脅威で、放射能拡散政策であることを明確にする。

世界が見た福島原発災害 7
ニッポン原子力帝国

大沼安史著

四六判並製
三二二頁
2000円

福島原発事故から8年、海外メディアが伝えるフクイチの、「ニッポン原子力帝国」の驚愕の現実。白血病一〇・八倍、肺癌四・二倍、小児癌四倍という南相馬の病院の深刻なデータ。日本のメディアが絶対に伝えない真実第七弾！

放射能を喰らって生きる
浜岡原発で働くことになって

川上武志著

四六判並製
二五二頁
2000円

職場が浜岡原発と聞いたとき、真っ先に浮かんだのは〝被曝〟の二文字だった。「放射能を喰らって生きている原発労働者なんて、虫けら以下の存在だ！」仲間の一人は、血走った目つきで声を震わせて叫び会社を去っていった。